Programa de Certificación Nacional de Asociado en Desarrollo Infantil™

y

Normas de Competencia CDA

COUNCIL *for* PROFESSIONAL RECOGNITION

El Concilio para el Reconocimiento Profesional

2460 16th Street, NW, Washington, DC 20009-3547

Phone: 202-265-9090

Visite la Página Web del Concilio en **www.cdacouncil.org**.

El presente documento es una traducción al español del documento original en inglés, titulado "The Child Development Associate® National Credentialing Program and CDA Competency Standards", de fecha marzo de 2013. La traducción se ofrece como parte del compromiso imperecedero del Concilio de servir a la comunidad CDA hispanoparlante.

Este libro fue preparado bajo la dirección editorial de la Dra. Valora Washington, Directora Ejecutiva (CEO) del Concilio para el Reconocimiento Profesional.

Escritores colaboradores: Richard Cohen, Mary LaMantia, and Vilma M. Williams

Diseño y Producción: Theresa Crockett

Fotografías cortesía de: School for Friends, St. Columba's Nursery School y Thurgood Marshall Child Development Center

Traducción: Sandra Vanessa Portocarrero, bajo la dirección de Vilma M. Williams

Edición para Bebés y Toddlers

Cuarta Impresión, Impreso y encuadernado en Estados Unidos de América

Abril 2018

ISBN: 978-0-9889650-4-1

Tabla de Contenido

Introdución 2

Visión General 4

Ambientes de trabajo/Programas elegibles para evaluaciones CDA 6

Subgrupos aceptados de Bebés/*Toddlers* 7

Parte 1

Obtención de la Credencial de Asociado en Desarrollo Infantil™ (CDA) 8

Prepararse para el Proceso de Certificación CDA 10

En cualquier momento antes de presentar su Solicitud 10

Educación Secundaria 10

Destrezas de lectoescritura.. 10

Ambiente de trabajo/Programa 10

Educación Profesional 10

Las 8 Áreas Temáticas CDA 10

Dentro de los Tres Años antes de presentar su Solicitud 12

Experiencia de trabajo 12

Dentro de los Seis Meses antes de presentar su Solicitud............................. 12

Cuestionarios para la Familia 12

Portafolio Profesional 13

Preparación de su Portafolio Profesional 14

La Recopilación de Recursos 14

Los Testimonios Reflexivos de Competencia 17

El Testimonio de Filosofía Profesional 19

Solicitar el Proceso de Certificación CDA 20

Identifique un Especialista CDA en Desarrollo Profesional™............................ 20

En busca de un Especialista CDA en Desarrollo Profesional™......................... 20

Requisitos de Elegibilidad del Especialista CDA en Desarrollo Profesional™ 20

Conflicto de Intereses del Especialista CDA en Desarrollo Profesional™ 21

Asegúrese de tener el permiso de su director para su Visita de Verificación CDA™ 22

Complete la solicitud CDA 22

Demostrar Su Competencia 24

La Visita de Verificación CDA™ 24

Programación de Su Visita de Verificación CDA™ 24

Reprogramación de Su Visita de Verificación CDA™ 25

Cumplimiento de Todos los Requisitos 25

Su Visita de Verificación CDA™ 26

El Examen CDA 27

Programación de Su Examen CDA 27

Reprogramación de Su Examen CDA 28

Preparación para Su Examen CDA 29

Rendir Su Examen CDA 29

Obtener Su Credencial CDA 31

Renovar Su Credencial 31

Obtener una Segunda Credencial 32

Especializaciones de Idiomas 33

Parte 2

Normas de Competencia de Asociado en Desarrollo Infantil™ 37

Norma de Competencia I 41

Área Funcional 1: Seguridad 42

Área Funcional 2: Salud 46

Área Funcional 3: Ambiente de Aprendizaje 50

Norma de Competencia II 58

Área Funcional 4: Físico 59

Área Funcional 5: Cognoscitivo 62

Área Funcional 6: Comunicación 66

Área Funcional 7: Creatividad 73

Norma de Competencia III 77

Área Funcional 8: Concepto de Sí Mismo 78

Área Funcional 9: Social 83

Área Funcional 10: Guía 88

Norma de Competencia IV 93

Área Funcional 11: Familias 94

Norma de Competencia V 101

Área Funcional 12: Manejo del Programa 101

Norma de Competencia VI 104

Área Funcional 13: Profesionalismo 104

Parte 3

Información Adicional 107

Evaluaciones en el Extranjero 108

Servicios Especiales ADA 108

Principios para Niños Aprendices de Dos Idiomas 109

Requisitos de Elegibilidad del Especialista CDA en Desarrollo Profesional™ 116

Diálogo Reflexivo de la Visita de Verificación CDA™ 118

Preguntas del Examen CDA 121

Glosario de Términos 123

Recursos 128

Solicitud 129

Mi Portafolio Profesional CDA 133

Resumen de Mi Educación CDA 135

Cuestionario para la Familia 137

Hoja de Resumen de Cuestionarios para la Familia 139

Hoja de Trabajo del Diálogo Reflexivo 141

Instrumento de Puntuación Global .... CSI 1

Introducción

Estimados Colegas:

¡Les damos la bienvenida al iniciar esta interesante travesía para obtener su Credencial de Asociado en Desarrollo Infantil™ (CDA)!

El CDA es el "mejor primer paso" que ustedes pueden tomar para convertirse en una poderosa influencia en la vida de los niños pequeños y de sus familias. Las Normas de Competencia CDA le brindan una hoja de ruta de lo que usted debe saber y ser capaz de hacer de manera eficaz en cualquier ambiente de trabajo – Bebés & Toddlers, Preescolares, Programa de Hogar de Cuidado y Educación Infantil o Visitadores de Hogares. Y, debido a que el CDA es el único sistema de certificación nacional y de varios idiomas, la credencial CDA está diseñada para evaluar su competencia en el idioma de su trabajo diario.

Desde 1971, el Programa de Certificación Nacional CDA ha sido el único sistema integral de su naturaleza en nuestro país. Nos sentimos orgullosos de que el CDA continúe siendo la principal credencial del país para educadores en educación infantil. Si usted se muda a otro estado o comunidad, usted puede sentirse seguro sabiendo que el CDA es la única credencial a nivel nacional portátil, transferible, válida, basada en competencias y reconocida en todos los 50 estados, territorios, el

Dr. Calvin E. Moore, Jr.
Director Adjunto, Oficina de Cuidado Infantil
Departamento de Salud y Servicios Humanos de EE.UU.
Obtuvo su CDA en 1992.

MaryEllen Fritz
Presidenta y Directora Ejecutiva, Centro de Recursos para la Familia
Obtuvo su CDA en 2002.

Cristy Lopez
Maestra
Obtuvo su CDA en 2012.

Sabrena Smith
Directora de Programas de Capacitación
Obtuvo su CDA en 1990.

Aisha Batty
Educadora en Programa de Hogar de Cuidado Educación Infantil. Obtuvo su CDA en 1993.

Betsy Thompson
La primera estudiante de secundaria que obtuvo un CDA
(2012).

Brenda Acero
El CDA N° 300,000 (2012).

Distrito de Columbia, escuelas superiores de la comunidad y el ejército de los Estados Unidos. El CDA es la única credencial nacional que obtiene créditos válidos para la obtención de un título universitario de Asociado en la mayoría de los sistemas de escuelas superiores de la comunidad que se encuentran en todo el país. Cuando usted obtiene su CDA, ¡usted se une a una comunidad de más de 420,000 educadores en educación infantil!

Todos nosotros en el Concilio consideramos nuestra relación con usted como un deber sagrado. Nos sentimos profundamente comprometidos en apoyar su crecimiento y progreso profesional. Deseamos otorgarle su Credencial CDA —un símbolo poderoso de sus logros. Estamos con usted en esta travesía, ¡para hacer una diferencia aún más poderosa en la vida de los niños pequeños!

Atentamente,

Valora Washington

Dra. Valora Washington
Directora Ejecutiva Concilio para el
Reconocimiento Profesional

Michelle Salcedo
Directora Académica
Obtuvo su CDA en 1994.

Jacqueline Whiting
Maestra
Obtuvo su CDA en 1991.

Tracy Ehlert
Maestra
Obtuvo su CDA en 2010.

Visión General

La Credencial de Asociado en Desarrollo Infantil™ (The Child Development Associate® (CDA) Credential™) es la credencial más reconocida en educación infantil (EI) y es un peldaño clave en el camino de una carrera profesional en EI. La Credencial CDA se basa en un conjunto básico de Normas de Competencia, que guía a profesionales en aprendizaje y en educación y cuidado infantil, mientras ellos trabajan con el fin de llegar a ser maestros calificados para niños pequeños. Estos profesionales tienen el conocimiento de cómo poner en práctica las Normas de Competencia CDA y comprenden por qué esas Normas ayudan a los niños a pasar con éxito de una etapa de desarrollo a otra.

La Credencial de Asociado en Desarrollo Infantil™ (CDA) es el "mejor primer paso" porque:
El Programa de Certificación Nacional CDA (The CDA National Credentialing Program) se basa en el conocimiento de los eruditos y estudiosos más destacados del país en aprendizaje y en educación y cuidado infantil. Al utilizar múltiples fuentes de evidencia, el Programa es el único sistema integral de su naturaleza que reconoce las competencias fundamentales que se necesitan a nivel profesional inicial y que necesitan todos los profesionales en educación y cuidado infantil. El proceso de certificación CDA es ahora una experiencia de desarrollo profesional intensa y cohesiva, llena de actividades significativas que facilitan la práctica reflexiva de los profesionales que trabajan.

La Credencial CDA se otorga a los profesionales en Aprendizaje y en educación y cuidado infantil que trabajan en diferentes ambientes de trabajo:

- Bebés/*Toddlers*
- Preescolares
- Hogar de Cuidado y Educación Infantil
- Visitadores de Hogares

Los Candidatos también solicitan Especializaciones de Idioma:

- **Especialización Bilingüe** (para Candidatos que trabajan en programas bilingües).
- **Especialización Monolingüe** (para Candidatos que trabajan en programas en donde se habla otro idioma que no es inglés) Nota: Si el idioma de la Especialización es otro aparte de Español, el Candidato debe contactarse con el Concilio para hacer arreglos especiales.

El **Programa de Certificación Nacional de Asociado en Desarrollo Infantil**™ **– CDA** se estableció en 1971. El propósito del programa es mejorar la calidad de aprendizaje y de educación y cuidado infantil al definir, evaluar y reconocer la competencia de profesionales en aprendizaje y en educación y cuidado infantil en todo el país. Más de 420,000 educadores en educación y cuidado infantil han obtenido su Credencial CDA desde 1975, en todos los 50 estados, así como en los territorios estadounidenses de Guam, Islas Vírgenes y el Estado Libre Asociado de Puerto Rico.

El Concilio para el Reconocimiento Profesional ha administrado la evaluación y certificación CDA de profesionales en aprendizaje en educación y cuidado infantil desde 1985.

Misión del Concilio

El Concilio para el Reconocimiento Profesional fomenta un mejor desempeño y reconocimiento de profesionales en el campo de la educación y cuidado infantil de niños desde el nacimiento hasta los 5 años de edad.

Visión del Concilio

El Concilio trabaja para asegurarse de que todos los profesionales en aprendizaje y en educación y cuidado infantil cumplan las necesidades educativas, emocionales y de desarrollo de los niños más pequeños de nuestro país (del mundo).

Identidad del Concilio

Por décadas, el Concilio se ha visto como una organización de "evaluación" cuyo propósito es evaluar la competencia de profesionales en aprendizaje y en educación y cuidado infantil y otorgar la Credencial CDA a todos los Candidatos que cumplan con los requisitos de elegibilidad y muestren evidencia de cumplir las Normas de Competencia del Concilio.

A la llegada de la actual Directora Ejecutiva del Concilio en enero de 2011, Valora Washington, el Concilio ahora se ve con una identidad amplia: El Concilio permanece como una organización de evaluación pero también es una organización de desarrollo profesional (DP) en donde el CDA es el primer mejor paso en el camino de DP. Este cambio de paradigma abre nuevas oportunidades para el Concilio para aumentar las formas en que se cumple la Misión y para ampliar la Visión con el fin de incluir más maneras de ser un apoyo a los niños pequeños y a los profesionales que los sirven.

Ambientes de trabajo/Programas elegibles para evaluaciones CDA

Los candidatos que desean obtener la credencial CDA deben ser observados en un "ambiente de trabajo o programa" que reúna los criterios descritos a continuación según sea el caso: (NOTA: Los candidatos pueden ser empleados contratados por el programa o estar trabajando como voluntarios.)

PROGRAMA DE CENTRO

Un ambiente de trabajo o programa de centro para Preescolares es un centro de cuidado y educación infantil aprobado por el estado en el que un Candidato puede ser observado trabajando con un grupo de al menos ocho niños cuyas edades oscilan entre 3 y 5 años. Asimismo, un ambiente de trabajo/programa de centro debe tener: 1) al menos 10 niños inscritos en el programa (no necesariamente en el grupo del Candidato); y 2) al menos dos educadores que trabajen con los niños de forma regular.

Un ambiente trabajo o programa de centro para Bebés/*Toddlers* es un centro de cuidado y educación Infantil aprobado por el estado en el que un candidato puede ser observado trabajando con un grupo de al menos tres niños, cuyas edades oscilan entre el nacimiento y los 36 meses. Un candidato puede trabajar/ser observado trabajando con todos los subgrupos o con uno o dos subgrupos*. Asimismo, un ambiente de trabajo/programa de centro debe tener: 1) al menos 10 niños inscritos en el programa (no necesariamente en el grupo del candidato); y 2) al menos dos educadores que trabajen con los niños de forma regular.

PROGRAMA DE HOGARES DE CUIDADO Y EDUCACIÓN INFANTIL

Un programa de Cuidado y Educación Infantil en el Hogar es un hogar de cuidado y educación infantil en el que un Candidato puede ser observado trabajando con al menos dos niños no mayores de 5 años que no tengan relación de parentesco por consanguineidad o matrimonial con el candidato. Este programa debe cumplir al menos con los requisitos mínimos que establecen las regulaciones a nivel local y/o estatal. Los programas de Cuidado y Educación Infantil en el Hogar también son elegibles en lugares donde no existen regulaciones para este tipo de programa.

PROGRAMA DE VISITADORES DE HOGARES

Un programa de Visitadores de Hogares es un programa establecido de visitas a domicilio (a familias con niños hasta cinco años de edad) que ayuda a los padres a satisfacer las necesidades de sus hijos y donde el candidato puede ser observado mientras realiza visitas a hogares. En este programa, el método principal que se emplea son las visitas regulares a hogares. *Los Candidatos que solicitan la credencial de Visitadores de Hogares siguen un proceso de evaluación diferente al proceso de evaluación CDA para cualquier otro ambiente de trabajo/programa.

PROGRAMA BILINGÜE
(Requerido para candidatos que solicitan una especialización bilingüe)

Un programa bilingüe es un programa de desarrollo infantil que tiene objetivos específicos para lograr el desarrollo bilingüe en los niños; en el que dos idiomas son usados en las actividades y experiencias diarias de manera consistente; y en el que se ayuda a los padres a comprender las metas y a apoyar el aprendizaje bilingüe de los niños.

PROGRAMA DE EDUCACIÓN ESPECIAL

Un ambiente o programa de "Cuidado y Educación Infantil Especial" es aquel que ha sido diseñado para servir a niños con necesidades especiales desde las moderadas hasta las severas, y que sí califica como un ambiente de trabajo o programa elegible para una evaluación CDA. Las Normas de Competencia CDA abordan las destrezas que deben poseer los profesionales de cuidado y educación infantil que trabajan con este grupo de niños. El programa debe reunir el otro criterio descrito anteriormente para programas de centro para Preescolares, Bebés/*Toddlers*, o de Cuidado y Educación Infantil en el Hogar. Las edades cronológicas de los niños con necesidades especiales deben coincidir también con los grupos de edades especificados para cada ambiente o programa.

NOTA: Los programas extracurriculares y de servicios de guardería no son ambientes/programas elegibles en los que un candidato puede demostrar su competencia acorde con las Normas de Competencia CDA incluyendo todas las Áreas Funcionales.

Subgrupos aceptados de bebes/toddlers

Para poder demostrar competencia con el grupo de edad completo de Bebés/*Toddlers*, un candidato que solicita la credencial CDA para Bebés/*Toddlers* debe:

- Ser observado por un Especialista CDA en Desarrollo Profesional™ trabajando con todos o con cualquiera de los tres subgrupos de Bebés/*Toddlers*.

Bebés pequeños (Nacimiento a 8 meses)	Bebés móviles (9 a 17 meses)	*Toddlers* (18 a 36 meses)

- Completar el Portafolio Profesional conforme a los requisitos para Bebés/*Toddlers* (ver páginas 13 a la 20), incluidos aquellos recursos específicos que forman parte de la Recopilación de Recursos y los Testimonios Reflexivos de Competencia que permitirán al candidato demostrar su competencia con todos los subgrupos.

Indica un ejemplo requerido para Candidatos que aspiran a obtener un CDA con Especialización Bilingüe

Portafolio Profesional

Observación

Parte 1

Obtención de la Credencial Asociado en Desarrollo Infantil™ (CDA)

1. Prepararse para el Proceso de Certificación CDA
2. Solicitar el Proceso de Certificación CDA
3. Demostrar Su Competencia
4. Obtener Su Credencial
5. Renovar Su Credencial

Examen CDA

Diálogo Reflexivo

Obtención de la Credencial de Asociado en Desarrollo Infantil™ (CDA)

Con el fin de obtener y conservar la Credencial de Asociado en Desarrollo Infantil™ (CDA), los Candidatos deben seguir la siguiente secuencia de pasos:

1. Preparación
2. Solicitud
3. Demostración
4. Obtención
5. Renovación

En las siguientes páginas, se trata cada paso de manera detallada. Se le anima a leer todo el proceso en su totalidad, con el fin de ganar un sentido pleno del proceso de certificación y de sus requisitos. Una vez que usted elija iniciar su proceso de certificación, usted puede utilizar la Lista de Verificación del Candidato, que se encuentra en la cubierta interior de este libro, para realizar el seguimiento de cada uno de sus logros a medida que avanza en la obtención de su CDA.

Prepararse para el proceso de certificación CDA: Requisitos de elegibilidad del Candidato

En cualquier momento Antes de presentar su Solicitud.

Educación Secundaria

Usted debe tener un diploma de secundaria válido para solicitar la Credencial de Asociado en Desarrollo Infantil™ (CDA). También se acepta un GED o una inscripción como junior o senior en una carrera de educación secundaria/programa técnico en educación infantil.

Destrezas de lectoescritura

Ser capaz de hablar, leer y escribir lo suficientemente bien, en el idioma que se requiere en el trabajo, para poder desempeñar las funciones de un candidato CDA.

Ambiente de trabajo/Programa

Ud. debe encontrar un centro de educación/desarrollo infantil aprobado por el estado en el que usted, el candidato, pueda ser observado

① Preparación

En cualquier momento antes de realizar su solicitud
- Educación Secundaria
- Educación Profesional -- 120 horas, incluyendo 10 horas en cada una de las 8 Áreas Temáticas CDA

Dentro de los tres años antes de presentar su solicitud
- Experiencia Laboral --- 480 horas de experiencias trabajando con niños desde el nacimiento hasta 36 meses

Dentro de los seis meses antes de presentar su solicitud
- Cuestionarios para la Familia
- Portafolio Profesional

trabajando con niños como maestro **principal/líder** con un grupo de **al menos tres niños**, cuyas edades oscilen entre el nacimiento y los 36 meses (un Candidato puede trabajar/ser observado con todos los subgrupos o con uno o dos subgrupos). Asimismo, un programa de centro debe tener: (1) al menos 10 niños inscritos en el programa (no necesariamente en el grupo del Candidato); y (2) al menos dos maestros que trabajen con los niños periódicamente.

Educación Profesional

Usted debe completar 120 horas de educación infantil profesional, que comprendan el crecimiento y desarrollo de los niños cuyas edades oscilen entre el nacimiento y los 36 meses, con no menos de 10 horas en cada una de las ocho áreas temáticas CDA:

Las 8 Áreas Temáticas CDA

Área Temática CDA 1. Planificar un ambiente de aprendizaje seguro y saludable

Ejemplos: Seguridad, primeros auxilios, salud, nutrición, planificación del espacio, materiales y equipo, juego.

Área Temática CDA 2. Fomentar el desarrollo físico e intelectual de los niños

Ejemplos: Músculos finos y gruesos, lenguaje y lecto-escritura, descubrimiento, arte, música, matemáticas, estudios sociales, ciencias, tecnología y aprendizaje de dos idiomas.

Área Temática CDA 3. Apoyar el desarrollo social y emocional de los niños

Ejemplos: Ejemplo y modelo por parte de los adultos, autoestima, autorregulación, socialización, identidad cultural, resolución de conflictos.

Área Temática CDA 4. Edificar relaciones productivas con las familias

Ejemplos: Participación de los padres, visitas al hogar, conferencias, referencias, estrategias de comunicación.

Área Temática CDA 5. Manejar un programa eficaz

Ejemplos: Planificación, conservación de registros, informes, servicios comunitarios.

Área Temática CDA 6. Mantener un compromiso profesional

Ejemplos: Defensa/apoyo, prácticas éticas, temas laborales, desarrollo profesional, establecimiento de metas, red de contactos.

Área Temática CDA 7. Observar y registrar el comportamiento de los niños

Ejemplos: Herramientas y estrategias para una observación y evaluación objetiva del comportamiento y aprendizaje de los niños para la planificación de un currículo y enseñanza individual, retrasos en el desarrollo, estrategias de intervención, planes de educación individual.

Área Temática CDA 8. Comprender los principios del desarrollo y Aprendizaje infantil

Ejemplos: Expectativas de desarrollo típico para niños desde el nacimiento hasta los 5 años de edad, variación individual incluyendo a niños con necesidades especiales, influencias culturales en el desarrollo, comprensión del desarrollo del cerebro en los niños.

Con el fin de mostrar una prueba de su educación profesional, usted debe presentar registros de calificaciones, certificados o cartas (originales o copias) en su *Portafolio Profesional* (pág. 13). Esta documentación debe ser precedida por la carátula *Resumen de Mi Educación CDA*, que se encuentra en la pág. 135 al final de este libro. Durante su Visita de Verificación CDA™, el Especialista CDA en Desarrollo Profesional™ revisará la carátula Resumen y documentación adjunta.

Educación Profesional Adecuada

La educación puede ser completada mediante una gran variedad de organizaciones de capacitación, incluyendo dos o cuatro años de escuelas superiores, organizaciones de capacitación privada, escuelas de formación profesional o técnica, agencias/organismos de recursos y referencias, y programas de educación infantil que auspicien capacitación (como Head Start o el Ejército de los EE.UU.).

Usted puede acumular las horas de un solo programa de capacitación o de una combinación de programas. Cada agencia/organismo u organización debe proporcionar verificación de su educación mediante registros de calificaciones, certificados o cartas en membrete oficial. El Concilio acepta capacitación en el puesto de trabajo, pero no acepta capacitación obtenida en conferencias o de consultores individuales.

Todas las horas de educación profesional deben ser obtenidas bajo los auspicios de una agencia/organismo u organización con personal experto en la formación de maestros en el campo de educación infantil. Estas horas pueden otorgar o no otorgar créditos universitarios.

Dentro de los Tres Años antes de presentar su solicitud

Experiencia de trabajo

Usted debe tener como mínimo 480 horas de experiencia en el trabajo con niños cuyas edades oscilen entre el nacimiento y los 36 meses durante los últimos tres años, en un ambiente o programa de bebés/toddlers incluyendo experiencia con niños de todos los subgrupos: bebes pequeños(0-8 meses); bebes móviles (9-17 meses) y toddlers (18-36 meses), para poder solicitar la credencial de Asociado en Desarrollo Infantil™ (CDA). Su experiencia puede provenir como personal asalariado o como voluntario.

Dentro de los Seis Meses antes de presentar su solicitud

Cuestionarios para la Familia

Sus reflexiones sobre las percepciones de las familias con respecto a sus fortalezas y áreas para el desarrollo profesional son muy importantes en el proceso de certificación CDA. Cada familia que tenga a un niño bajo su cuidado debe ser invitada a completar un cuestionario.

En la página 137, al final de este libro, se le proporciona un *Cuestionario para la Familia*. Por favor, desglóselo y haga el número adecuado de copias para distribuirlas entre sus familias. Nota: El *Cuestionario para la Familia* debe fotocopiarse por ambos lados, antes de distribuirse.

Antes de hacer las copias, llene los espacios en blanco en la introducción (su nombre y la fecha en la que necesite que le regresen los cuestionarios). Haga las copias y distribuya uno a cada familia.

Una vez que usted haya recolectado todos los cuestionarios completos, por favor lea las respuestas y reflexione sobre los comentarios que ha recibido. ¿Nota usted algún patrón o tendencia entre las respuestas de las familias sobre las percepciones de sus fortalezas o áreas de su desarrollo profesional? Recuerde que no existen conclusiones "correctas" o "incorrectas", usted mismo debe decidir la mejor forma de interpretar los comentarios que ha recibido. Por ejemplo, usted puede notar que 17 de 20 cuestionarios lo califican a usted como "muy capaz" cuando se trata de fomentar la salud y nutrición (#2). Usted puede llegar a la conclusión de que las familias, en general, ven esto como una de sus fortalezas. De la misma forma, usted puede notar que 12 de 20 cuestionarios lo califican como "necesita mejorar" en el área que se refiere a ayudar a los niños a expresarse a través de la música, arte y movimiento (#7). Usted puede llegar a la conclusión de que las familias, en general, ven esto como un área para su desarrollo profesional continuo.

Finalice el proceso de *Cuestionarios para la Familia* escribiendo cualquier Área de Fortaleza y/o Áreas para el Desarrollo Profesional que usted ha elegido en la carátula Resumen de Cuestionarios para la Familia que se encuentra en la pág. 139 al final de este libro. Además, escriba esta información en los Recuadros A y B de la *Carátula Diálogo Reflexivo de la Visita de Verificación CDA*™, que se encuentra en la pág. 141 también al final del libro. Este paso es importante ya que su Visita de Verificación CDA™ finalizará con un diálogo reflexivo/conversación con un Especialista CDA en Desarrollo Profesional (DP)™ en el que usted considerará estos comentarios de sus familias al establecer metas profesionales para usted mismo.

Además de las Áreas de Fortaleza y/o Áreas de Desarrollo Profesional que usted ha escrito en la *Hoja de Resumen de Cuestionarios para la Familia*, usted también debe enumerar total de cuestionarios distribuidos y recolectados. Se le pide recolectar la "mayoría" (más de la mitad) de los cuestionarios que usted distribuya.

Coloque la *Hoja de Resumen de Cuestionarios para la Familia* y los cuestionarios completados en la Pestaña B dentro de su Portafolio Profesional. Por favor, sepa que nadie más que usted leerá los comentarios que sus familias le han proporcionado. El Especialista CDA en DP™ sólo verá la hoja de Resumen para verificar que usted haya completado con éxito esta tarea.

Portafolio Profesional

El *Portafolio Profesional* pretende ser una experiencia de desarrollo profesional para usted. Se le anima utilizar y agregar material a su Portafolio mientras usted crece a lo largo de su carrera.

Su Portafolio Profesional debe incluir:

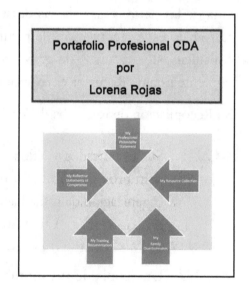

a) La carátula *Mi Portafolio Profesional CDA* que se encuentra en la pág. 133 al final de este libro (esta carátula proporciona mayores detalles sobre el orden específico de los componentes del portafolio – utilícelo como una lista de verificación al construir su Portafolio para asegurarse de que su Portafolio completo contenga todos los contenidos requeridos).

b) La carátula *Resumen de mi Educación CDA* seguida de sus registros de calificaciones, certificados, cartas, etc.

c) La carátula *Cuestionarios para la Familia* seguida de sus cuestionarios para la familia completados.

d) Seis Testimonios Reflexivos de Competencia, seguidos de los ítems relacionados a la Recopilación de Recursos, como se indica en la carátula *Mi Portafolio Profesional CDA*.

e) Su Testimonio de Filosofía Profesional, que resume su punto de vista profesional y toma en cuenta nuevas ideas que usted aprendió durante la preparación de su Portafolio.

Preparación de Su Portafolio Profesional

El primer paso es la creación del armazón de su Portafolio, en donde usted agregará muchos ítems. Su Portafolio puede estar organizado de cualquier forma creativa que usted elija (por ejemplo, organizado en una carpeta de tres anillos, una carpeta con varios archivos dentro o incluso puede ser creado en línea). Aunque no existen requisitos específicos sobre cómo debe lucir el Portafolio, éste debe ser legible, verse profesional y ser manejable en tamaño y portabilidad.

El segundo paso será agregar la carátula *Mi Portafolio Profesional CDA*. Esta carátula del portafolio lo guiará en la organización de los contenidos de su Portafolio utilizando secciones con pestañas.

Luego, usted agregará la carátula *Resumen de Mi Educación CDA* seguida de sus registros de calificaciones, certificados, cartas, etc. y su carátula Cuestionarios para la Familia seguida de los cuestionarios para la familia completados.

Después vienen las partes más grandes del trabajo de preparación de su Portafolio – la recopilación de Recursos y escribir sus *Testimonios Reflexivos de Competencia*.

La Recopilación de Recursos

Una de las partes más valiosas de su Portafolio que usted puede utilizar para seguir adelante con su trabajo es la recopilación de recursos en educación infantil. En el futuro, usted puede volver a consultar estos recursos de gran ayuda al continuar con su carrera. (Nota: La numeración de la siguiente lista de Recursos corresponde a cada una de las Normas de Competencia.)

Su Recopilación de Recursos debe incluirá los siguientes ítems:

RC I-1 Sus certificados válidos y actuales de culminación o tarjetas de a) cualquier **curso de primeros auxilios** y b) un **curso de CPR para niños (pediátrico)** ofrecido por una organización de capacitación reconocida a nivel nacional (como la Cruz Roja Americana o la Asociación Americana del Corazón). No se acepta ninguna capacitación en línea.

RC I-2 Una copia de **un menú semanal** u horario de alimentación usado con cada grupo (bebés pequeños , bebés móviles, toddlers). Con el fin de completar su Testimonio Reflexivo de Competencia en este tema, lo ideal sería mostrar un menú que usted haya servido y/o designado a los niños. Si esto no es posible, o si usted trabaja en un programa en donde no se sirven comidas, podría sustituir esto por un menú grupal para niños disponible en internet. (Más importante que la fuente del menú será el Testimonio Reflexivo de Competencia I, en donde usted hablará y dará su opinión sobre el menú – las fortalezas que usted piensa que tiene el menú y/o lo que usted serviría que piense que es más adecuado y por qué.)

RC I-3 Una muestra de su **planificación semanal** que incluye metas para aprendizaje y desarrollo de los niños, una breve descripción de las experiencias de aprendizaje planificadas y también las adaptaciones para los niños con necesidades especiales (ya sea para los niños a los que sirve actualmente o los que servirá en un futuro). Indique la edad del grupo(s) al que se dirige la planificación

RC II Nueve **experiencias de aprendizaje** (actividades), escritas en sus propias palabras, incluyendo una de cada una de las siguientes áreas curriculares:

RC II-1 Ciencia/Sensorial

RC II-2 Lenguaje y Lecto-escritura

RC II-3 Artes Creativas

RC II-4 Motor fino (por favor, elija una actividad en un ambiente interior)

RC II-5 Motor grueso (por favor, elija una actividad en un ambiente exterior)

RC II-6 Concepto de Sí Mismo

RC II-7 Destrezas Emocionales/Regulación

RC II-8 Destrezas Sociales

RC II-9 Matemáticas

Por ejemplo, para RR II-1, Ciencia/Sensorial, usted podría escribir sobre una experiencia titulada "Frascos de Olor" y para RR II-6, concepto de Sí Mismo, usted podría escribir sobre una experiencia titulada "Autorretratos".

Para cada experiencia, indique la edad del grupo bebés pequeños (0-8 meses), bebés móviles (9-17 meses), y toddlers (18-36 meses) y mencioné las metas que se desean lograr, materiales, procesos/estrategias de enseñanza. Para cada actividad, mencione por qué es apropiada para el desarrollo de esa edad del grupo.

RC III Una **bibliografía** que incluye los títulos, autores, editores, fechas de derechos de autores y breves resúmenes de diez libros para niños apropiados para su desarrollo que usted haya utilizado con niños pequeños. Cada libro debe respaldar un tema diferente relacionado a la vida de los niños y sus desafíos. Los temas que podría considerar incluir son:

• Identidad grupal cultural o lingüística

• Identidad de género

• Niños con necesidades especiales

• Separación/Divorcio/Segundo Matrimonio/Estructuras Familiares

• Etapas del ciclo de la vida desde la reproduccibebésn humana hasta la muerte

• Otros temas que reflejen los niños y familias con los que usted trabaja

RC IV Una **Guía de Recursos Familiares** que usted podría elegir para compartir con las familias a las que sirve. La Guía debe incluir toda la información de ayuda que usted piense que ellos puedan necesitar. Como mínimo, debe incluir los siguientes ítems requeridos:

RC IV-1 El nombre y la información de contacto (número telefónico, página web, etc.) de la agencia/organismo local que brinde consejería familiar.

RC IV-2 El nombre y la información de contacto (número telefónico, página web, etc.) de un servicio de traducción para familias cuya lengua materna sea otra además de inglés, así como un servicio que brinde traducción del Lenguaje de Señas Americano.

RC IV-3 El nombre, información de contacto y descripciones breves de al menos dos agencias/organismos en la comunidad que brinden Recursos y servicios para niños con discapacidades (en la mayoría de comunidades, la escuela local del distrito ofrece estos servicios).

RC IV-4 Una lista de tres o más páginas web y una breve descripción de cada una de ellas que brinde información actual para ayudar a las familias a comprender cómo se desarrollan y aprenden los niños pequeños. Incluya un artículo actual para cada página web. Las páginas web deben contener artículos que ayuden a las familias a comprender el desarrollo y aprendizaje desde el nacimiento hasta 36 meses de edad. Al menos un artículo debe referirse al tema de orientación infantil.

RC V Tres muestras de **formularios para conservar registros** que usted haya utilizado. Incluya un formulario para reportar accidentes, un formulario de emergencia y un formulario/herramienta completa que haya utilizado para observar y documentar el progreso de aprendizaje/desarrollo de un niño. (No incluya el nombre del niño).

RC VI-1 El nombre y la información de contacto de su agencia/organismo del estado que sea responsable de la **regulación de los centros de cuidado infantil y de los hogares de cuidado y educación infantil.** (Nota: Contacte al director de su centro u organismo estatal de licencias para obtener la información que necesita.) Haga una copia de las secciones que describan los requisitos de calificación para el personal (maestros, directores y asistentes) y el tamaño del grupo, requisitos de la relación entre el niño y el adulto:

RC VI-2 Una lista de dos o tres **asociaciones en educación infantil** (nacional, regional, estatal o local), incluyendo las direcciones de páginas web, describiendo los recursos profesionales y las oportunidades de membresía que cada una de ellas ofrecen.

RC VI-3 Resúmenes de los **requisitos legales** en su estado con respecto al maltrato y negligencia infantil (incluyendo información de contacto para la agencia/organismo adecuado en su estado) y Orientaciones o Guías de los reportes requeridos.

Los Testimonios Reflexivos de Competencia

Prepare seis reflexiones escritas basadas en sus propias prácticas de enseñanza. Usted debe escribir un Testimonio Reflexivo por cada una de las seis Normas de Competencia CDA (ver abajo los requisitos específicos). Muchos Testimonios requieren el uso de Recursos específicos de su *Recopilación de Recursos*, previamente listados, como el centro de esa reflexión escrita. Cada Testimonio no debe tener más de 500 palabras.

NCI **Norma de Competencia I** *(Establecer y mantener un ambiente de aprendizaje seguro y saludable):*

Empiece su Testimonio Reflexivo sobre esta Norma de Competencia con un párrafo describiendo cómo sus prácticas de enseñanza cumplen con esta Norma (Nota: de manera alternativa, usted también puede elegir escribir un párrafo para cada Área Funcional, si es que esto le parece una manera más fácil para expresar sus pensamientos de forma más clara).

Luego, escriba por lo menos un párrafo para cada uno de lo siguiente:

NC I a Reflexione en el menú u horario de alimentación usado con cada grupo (bebés pequeños , bebés móviles, toddlers) de *Recopilación de Recursos* (RR I-2): si usted diseñó el menú, ¿cómo éste refleja su compromiso hacia las necesidades nutricionales de los niños? Si usted no lo diseñó, ¿cuáles son las fortalezas y/o lo que cambiaría?

NC I b Reflexione en el ambiente de la clase o espacio de aprendizaje en donde se realizará su Observación de Visita de Verificación CDA™: ¿De qué manera el diseño de la clase u espacio de aprendizaje refleja la manera en la que usted cree que los niños pequeños aprenden mejor? Si la habitación/clase no fue diseñada por usted, ¿cuáles son las fortalezas que ve en ella y/o qué es lo que usted cambiaría?

NC I c Reflexione en la planificación semanal que incluyó en su Recopilación de Recursos (RR I-3). ¿De qué manera esta planificación refleja su filosofía de lo que los niños necesitan durante la semana? Si la planificación no fue diseñada por usted, ¿qué es lo que usted ve como fortalezas y/o qué es lo que cambiaría de ella?

NCII **Norma de Competencia II** (Fomentar la competencia física e intelectual):

Empiece su Testimonio Reflexivo sobre esta Norma de Competencia con un párrafo describiendo cómo sus prácticas de enseñanza cumplen con esta Norma (Nota: de manera alternativa, usted también puede elegir escribir un párrafo para cada Área Funcional, si es que esto le parece una manera más fácil para expresar sus pensamientos de forma más clara).

Luego, prepare por lo menos un párrafo para cada uno de lo siguiente:

NC II a   Escoja una de las nueve experiencias de aprendizaje que usted eligió para su *Recopilación de Recursos* (RR II). ¿De qué manera esta experiencia refleja su filosofía de cómo apoyar el desarrollo *físico* de los niños pequeños?

NC II b   Escoja otra de las nueve experiencias de aprendizaje que usted eligió para su *Recopilación de Recursos* (RR II). ¿De qué manera esta experiencia refleja su filosofía de cómo apoyar el desarrollo cognoscitivo de los niños pequeños?

NC II c   Escoja una tercera experiencia de aprendizaje que usted eligió para su *Recopilación de Recursos* (RR II). ¿De qué manera esta experiencia refleja su filosofía de cómo apoyar el desarrollo creativo de los niños pequeños?

NC II d   En un párrafo adicional, describa formas de fomentar el desarrollo de comunicación/lenguaje entre todos los niños, incluyendo a los niños aprendices de dos idiomas

NCIII **Norma de Competencia III** *(Apoyar el desarrollo social y emocional y fomentar y brindar una orientación o guía positiva)*:

Empiece su Testimonio Reflexivo sobre esta Norma de Competencia con un párrafo describiendo cómo sus prácticas de enseñanza cumplen con esta Norma (Nota: de manera alternativa, usted también puede elegir escribir un párrafo para cada Área Funcional, si es que esto le parece una manera más fácil para expresar sus pensamientos de forma más clara).

Luego, prepare por lo menos un párrafo para cada uno de lo siguiente:

NC III a   Describa algunas formas en las que usted apoya el desarrollo de los conceptos positivos de sí mismo de los niños y las habilidades sociales/emocionales en crecimiento

NC III b   Reflexione sobre su filosofía de guiar u orientar las conductas positivas de los niños pequeños. ¿De qué manera su filosofía profesional es semejante o diferente de la forma en la que usted fue guiado cuando era niño? ¿Cómo enfrenta de manera constructiva las conductas *desafiantes* de los niños pequeños?

NCIV **Norma de Competencia IV** *(Establecer relaciones positivas y productivas con las familias)*:

Empiece su Testimonio Reflexivo sobre esta Norma de Competencia con un párrafo describiendo cómo sus prácticas de enseñanza cumplen con esta Norma.

Luego, prepare por lo menos un párrafo para cada uno de lo siguiente:

NC IV a ¿De qué manera usted se asegura de que las familias estén conscientes de lo que está pasando en la vida diaria/semanal del niño dentro de su programa?

NC IV b ¿De qué manera se asegura usted de estar consciente de lo que está pasando en la vida familiar de cada niño? ¿Cómo este conocimiento dirige sus prácticas de enseñanza?

NC IV c Reflexione sobre los comentarios que recibió en los *Cuestionarios para la Familia* que recolectó (por favor, vea las págs. 12-13). Explique de qué forma estas respuestas lo sorprendieron, confirme sus propias reflexiones sobre usted mismo y/o establezca una nueva meta para su desarrollo profesional.

NCV **Norma de Competencia V** *(Asegurar un programa bien dirigido, con propósitos útiles y que responda a las necesidades de los participantes)*:

Empiece su Testimonio Reflexivo sobre esta Norma de Competencia con un párrafo describiendo cómo sus prácticas de enseñanza cumplen con esta Norma.

NC V a Luego, escriba por lo menos un párrafo que describa cómo utilizó la herramienta/ formulario de observación que usted incluyó en la Recopilación de Recursos (RR V). ¿Por qué la observación y documentación son partes importantes del manejo del programa? ¿De qué manera se asegura de estar observando y haciendo un seguimiento de manera precisa/objetiva del progreso de desarrollo y aprendizaje de cada niño?

NCVI **Norma de Competencia VI** *(Mantener un compromiso profesional)*:

Empiece su Testimonio Reflexivo sobre esta Norma de Competencia con un párrafo describiendo cómo sus prácticas profesionales cumplen con esta Norma. Luego:

NC VI a Reflexione sobre por qué usted eligió convertirse en un profesional en educación infantil.

NC VI b Reflexione sobre lo que considere son los indicadores de profesionalismo más importantes que usted posee.

El Testimonio de Filosofía Profesional

El *Testimonio de Filosofía Profesional* es la tarea reflexiva final en la creación de su *Portafolio Profesional*. Aquí, usted resumirá sus creencias y valores profesionales sobre educación infantil después de que haya completado la experiencia de desarrollo profesional de diseñar su Portafolio al recolectar recursos y escribir todos los seis *Testimonios Reflexivos de Competencia*. El *Testimonio de Filosofía Profesional* no debe tener más de dos páginas.

Identifique sus valores y creencias personales con respecto a la enseñanza y el aprendizaje: ¿Cómo cree que los niños pequeños aprenden? Basándose en esto, ¿cuál cree usted que es su rol? Más allá de la enseñanza y el aprendizaje, reflexione y escriba sobre lo que usted piensa son los otros aspectos importantes de su rol en la vida de los niños y de sus familias.

¡Lleve su Portafolio Profesional a su Visita de Verificación CDA™!

Una vez que haya completado la preparación de su *Portafolio Profesional*, por favor téngalo consigo hasta su Visita de Verificación CDA™, en donde su Especialista CDA en DP™ lo revisará.

Nota: Usted deberá presentar su Portafolio a su Especialista CDA en DP™ durante su Visita de Verificación CDA™. Por favor, no envíe su Portafolio Profesional al Concilio. El Concilio no devolverá ningún portafolio.

Solicitar el Proceso de Certificación CDA

Identifique un Especialista CDA en Desarrollo Profesional™ y obtenga su número de identificación.

La solicitud requiere que usted identifique un Especialista CDA en Desarrollo Profesional (DP)™ quien estará de acuerdo en dirigir su Visita de Verificación CDA™. Una vez que el Especialista CDA en DP™ acepte, él/ella le dará su Número de Identificación. Usted deberá incluir este número en su solicitud.

2 Solicitud

- Identifique un Especialista CDA en Desarrollo Profesional™ y obtenga su Número de Identificación

- Asegúrese de tener el permiso de su director para su Visita de Verificación CDA™.

- Envíe la solicitud CDA al Concilio y pague la tarifa.

El Concilio utiliza el Número de Identificación del Especialista CDA en DP™ para asegurarse de que usted haya elegido a un Especialista CDA en DP™ capacitado por el Concilio y que esté actualmente disponible para dirigir Visitas de Verificación CDA™ en su área. El Concilio procesará su solicitud sólo después de confirmar que usted haya identificado un Especialista CDA en DP™ adecuado para dirigir su Visita de Verificación CDA™.

En busca de un Especialista CDA en Desarrollo Profesional™

Existen cuatro formas de encontrar un Especialista CDA en Desarrollo Profesional (DP)™:

- Pedirle a alguien que usted conoce que ya es un Especialista CDA en DP™

- Pedirle a un profesional en educación infantil de su comunidad para que se convierta en un Especialista CDA en DP™, dirigiéndolo a *www.cdacouncil.org/pds* para realizar la solicitud y tomar una capacitación en línea para poder servir en ese rol.

Nota: si usted elige las opciones 1 o 2, por favor sea cuidadoso con las consideraciones éticas de la política de Conflicto de Intereses del Concilio que se encuentra en la siguiente página.

- Ir a *www.cdacouncil.org/findapds* para utilizar la herramienta en línea Encuentre un Especialista CDA en DP™, que enviará una solicitud en su nombre a un Especialista CDA en DP™ local.

- Si ninguno de los métodos antes mencionados funcionan, usted puede llamar al Concilio al 800-424-4310

Requisitos de Elegibilidad del Especialista CDA en Desarrollo Profesional™

Una amplia gama de profesionales con experiencia en educación infantil pueden servir como Especialista CDA en Desarrollo Profesional (DP)™. Por favor, vaya a la pág. 116 para ver la lista completa de los requisitos de elegibilidad de un Especialista CDA en DP™.

Conflicto de Intereses del Especialista CDA en Desarrollo Profesional™

A pesar de que una persona en particular pueda cumplir todos los requisitos generales de elegibilidad para llegar a ser un Especialista CDA en Desarrollo Profesional (DP)™, usted y su futuro Especialista CDA en DP™ deben decidir juntos si existe algún conflicto de intereses respecto a su relación que lo pueda descalificar de servir como su Especialista CDA en DP™.

Ninguna persona puede servir como Especialista CDA en DP™ si esta persona es:

1. su pariente directo (madre, padre, hermano(a), cónyuge, hijo(a))

2. su supervisor directo y actual

3. compañero de trabajo del mismo grupo/salón de clases en donde usted trabaja

Si usted se encuentra en cualquiera de estos tres tipos de relación con esta persona, usted no podrá bajo ninguna circunstancia, elegir a esta persona como su Especialista CDA en DP™.

Sin embargo, existen muchos otros tipos de relaciones que requerirán que usted y su futuro Especialista CDA en DP™ consideren cuidadosamente. Las posiciones de un futuro Especialista CDA en DP™ que incluyen consideraciones éticas por parte de los dos son:

• Supervisor indirecto

• Capacitador, ya sea directo o indirecto

• Cualquier persona o representante de una organización que tenga consideraciones financieras/contractuales relacionadas a usted o que pueda beneficiarse de cualquier manera del resultado de su certificación

• Su empleador

• Compañero en el mismo edificio, no en el mismo grupo/salón de clase

• Colega/amigo

• Cualquier persona que pueda tener una relación personal o profesional a favor o en contra suya, o cualquier grupo del cual usted forma parte

• Un ente/funcionario autorizador

El Concilio no excluirá a ninguna persona que sirva como Especialista CDA en DP™ que presente una relación perteneciente a una o más de las categorías de la lista "consideraciones éticas" que se menciona arriba, pero se reserva el derecho de promulgar nuevas investigaciones y de terminar el servicio de un Especialista CDA en DP™ y/o de la solicitud de un Candidato en cualquier momento que surja una pregunta de conflicto de intereses. Por favor, fíjese que a todo Especialista CDA en DP™ y Candidato se les pedirá firmar una Declaración de Ética.

Asegúrese de tener el permiso de su director para su Visita de Verificación CDA™

La solicitud requiere la firma del director de su centro/programa para confirmar lo siguiente:

- La Especialista CDA en DP™ puede realizarse durante las horas de trabajo del centro/programa

- El Especialista CDA en DP™ tendrá permiso de observarlo trabajando con niños en su salón de clases.

- Durante la Visita de Verificación CDA™, se le podrá observar a usted dirigiendo las actividades de los niños.

- Usted y su Especialista CDA en DP™ deberán tener un lugar privado y tranquilo si usted está planificando completar las sesiones Revisión Y/o Reflexión de su Visita de Verificación CDA™ en las instalaciones de su centro/programa.

Complete la solicitud CDA

Presente su solicitud en línea en *www.cdacouncil.org/yourcda*. Si usted no tiene acceso a internet, puede utilizar la solicitud en papel que se encuentra el final de este libro.

En la solicitud en línea o en papel, usted confirmará que ha completado todos los requisitos de preparación que se encuentran en las págs. 10-20 de este libro. Usted también elegirá el idioma de su Examen CDA (inglés o español, independientemente del idioma que elija para su Visita de Verificación CDA™). Para garantizar un proceso de certificación rápido y sin problemas, siga las instrucciones atentamente y no se saltee ninguna parte de la solicitud.

Por favor, asegúrese de completar cada sección de su solicitud y de firmarla al final. Cualquier error en la solicitud ocasionará retrasos en el proceso, ya que el Concilio deberá regresarle la solicitud para que usted la corrija. El Concilio no puede

¡Presente la solicitud en línea!

Su solicitud en línea YourCDA®, que se encuentra en www.cdacouncil.org /yourcda es simple y fácil de usar. Presente su solicitud en línea acelerará de manera significativa su proceso de certificación. Al utilizar la solicitud en línea YourCDA® usted puede:

- Guardar su trabajo y continuar después

- Verificar su estado en cualquier momento

- Pagar la tarifa de evaluación de manera electrónica

- Obtener actualizaciones automáticas del paso en que se encuentra dentro del proceso de certificación

- Comunicarse rápidamente con el Concilio

Para más información, visite
www.cdacouncil.org/YourCDA

garantizarle una decisión de certificación adecuada si no completa correctamente su solicitud. Si falta alguna información en su solicitud, el Concilio le informará y le dará 60 días para corregirlo, luego de este tiempo usted perderá el derecho de su tarifa de evaluación y deberá empezar el proceso de certificación nuevamente, incluyendo el pago de una nueva tarifa para evaluación.

Nota: Si usted cambia su nombre y/o dirección en cualquier momento luego de presentar su solicitud CDA, por favor informe al Concilio tan pronto como sea posible para que así, si el Concilio le otorga la credencial CDA, usted pueda estar seguro de que su nombre se escribió correctamente.

La actual tarifa de evaluación se puede encontrar en la solicitud y en la página del Concilio, *www.cdacouncil.org*.

Usted debe enviar la tarifa de evaluación completa con su solicitud. Usted puede pagar la tarifa de evaluación con tarjeta de crédito, cheque, giro postal o con una beca de alguna agencia/organismo. Si usted paga con una beca de agencia/organismo, usted deberá presentar la documentación de esta beca mediante una carta de autorización de pago de la agencia/organismo.

¡Los correos electrónicos acelerarán su Proceso de Certificación CDA!

¿Aún no tiene un correo electrónico? ¡No deje pasar otro día! Usted puede obtener una cuenta de correo electrónico gratuitamente a través de los diferentes proveedores en línea, incluyendo gmail.com, yahoo.com y hotmail.com.

Si el Concilio tiene su correo electrónico correcto, usted recibirá:

- La notificación o aviso *Listos para Programar el Examen*, una vez que el Concilio revise y apruebe su solicitud CDA.

- Recordatorios para programar su Visita de Verificación CDA™ y Examen CDA antes de los seis meses de plazo o fecha límite.

- Un recordatorio de renovación antes de que su Credencial CDA expire.

- Actualizaciones sobre cualquier cambio importante en el proceso CDA y en los servicios del Concilio.

- El boletín electrónico mensual CounciLINK, lleno de recursos valiosos y noticias de la Comunidad CDA a nivel nacional.

Demostrar Su Competencia

Luego de que el Concilio haya procesado su solicitud y pago, usted recibirá la notificación *Listos para Programar el Examen*. Ésta se le enviará mediante correo electrónico si usted ha brindado alguno, o por correo postal si no tiene correo electrónico.

Nota: Si usted brindó un correo electrónico, la notificación del correo vendrá de la siguiente dirección: *cdaready@cdacouncil.org*. Por favor, agregue esta dirección a su directorio de correo electrónico para asegurarse de que su notificación

③ Demostración

Una vez que el Concilio haya aprobado su solicitud y procesado su pago, usted debe programar y completar lo siguiente:

- Su Visita de Verificación CDA™
- Su Examen CDA

sea entregada en su Bandeja de Entrada, en lugar de colocarla en la Carpeta de Correo Basura (Spam/Junk).

Usted podrá completar su Visita de Verificación CDA™ y rendir el Examen CDA tan pronto como lo desee y en el orden que sea mejor para usted. Sin embargo, **usted debe completar ambos dentro de los seis meses** a partir de la fecha de su notificación *Listos para Programar el Examen*. Si usted no completa su Examen CDA y Visita de Verificación CDA™ dentro de los seis meses, perderá el derecho a su tarifa de solicitud y su expediente de Candidato se cerrará. Si esto pasa, usted deberá iniciar el proceso de Certificación CDA desde el principio y pagar una nueva tarifa de evaluación.

La Visita de Verificación CDA™

Programación de Su Visita de Verificación CDA™

Cuando reciba su notificación *Listos para Programar el Examen*, su Especialista CDA en Desarrollo Profesional (DP)™ también recibirá un correo electrónico notificándole que usted ya está listo para programar su Visita de Verificación CDA™. Mientras que su Especialista CDA en DP™ deberá contactarse con usted dentro de cinco días hábiles, el Concilio lo insta a que usted dé el primer paso del proceso de certificación contactándolo primero. Juntos, ustedes determinarán la fecha y hora para su Visita de Verificación CDA™. Por favor, asegúrese de confirmar estos arreglos con su Director. Una vez confirmado, será de gran ayuda si escribe la fecha y la hora en el espacio adecuado de la Lista de Verificación del Candidato, que se encuentra en el reverso de la portada de este libro.

Usted debe llevar los siguientes ítems a su Visita de Verificación CDA™:

- Su Portafolio Profesional original y completo, incluyendo todos los contenidos requeridos que se enumeran en la carátula del *Portafolio Profesional* (que se encuentra al final de este libro):
  - Registro de calificaciones, certificados, documentación de su educación profesional
  - *Cuestionarios para la Familia*
  - *Recopilación de Recursos*
  - *Seis Testimonios Reflexivos de Competencia*
  - *Testimonio de Filosofía Profesional*
- Este libro de *Normas de Competencia*, incluyendo:
  - El *Instrumento de Puntuación Global* en blanco que su Especialista CDA en DP™ utilizará (que se encuentra al final de este libro)
  - La hoja de trabajo de *Diálogo Reflexivo* (que también se encuentra al final de este libro), con los recuadros de las "Áreas de Fortaleza" y las "Áreas de Desarrollo Profesional" de los *Cuestionarios para la Familia* completos

Reprogramación de Su Visita de Verificación CDA™

En cualquier momento previo a la Visita de Verificación CDA™, usted y/o su Especialista CDA en Desarrollo Profesional (DP)™ pueden reprogramar la Visita de Verificación CDA™. Si usted no puede acordar una nueva fecha y hora para la Visita de Verificación CDA™, usted podrá encontrar otro Especialista CDA en DP™ sin penalidad. Usted debe contactar al Concilio y dar el número de identificación (ID) del nuevo Especialista CDA en DP™ antes de reprogramar la Visita de Verificación CDA™.

Si su Especialista CDA en DP™ llega a la Visita de Verificación CDA™ y usted no está presente dentro de los 15 minutos del tiempo programado, él/ella registrará su Visita de Verificación CDA™ como "ausente". Si esto sucede, usted no puede recibir una Credencial CDA hasta que reprograme su Visita con ese Especialista CDA en DP™ o hasta que encuentre otro Especialista CDA en DP™ para completar su Visita de Verificación CDA™ dentro de su plazo inicial de los seis meses. Con el fin de hacer esto, primero debe contactar al Concilio al 800-424-4310 para la autorización. En ese momento, se le pedirá pagar una tarifa adicional de $125 (que cubre los honorarios del Especialista CDA en DP™ de la primera Visita, así como los costos de procesamiento del Concilio).

Cumplimiento de Todos los Requisitos

Si su Especialista CDA en Desarrollo Profesional (DP)™ determina que usted no ha cumplido con alguno de los requisitos de a) su documentación de educación profesional o b) su CPR Pediátrico/ Primeros Auxilios, él/ella le informará al final de su Visita de Verificación CDA™. Poco después, usted recibirá una tarjeta del Concilio notificándole sobre los procedimientos requeridos para corregir estos errores dentro de los seis meses de su notificación Listos para Programar el Examen. Si usted no corrige estos requisitos dentro de este tiempo, entonces perderá el derecho a la tarifa de su evaluación y deberá empezar el proceso de certificación otra vez, incluyendo el pago de una nueva tarifa de evaluación.

Su Visita de Verificación CDA™

En su Visita de Verificación CDA™, su Especialista CDA en Desarrollo Profesional (DP)™ utilizará el Modelo R.O.R.™ (R.O.R Model™) para verificar aspectos claves de su competencia profesional. "R.O.R." significa Revisar-Observar-Reflexionar™. Durante la Visita de Verificación CDA™, el Especialista deberá:

Revisar *el contenido de su Portafolio Profesional.* Usted deberá asegurarse de que su Especialista CDA en DP™ tenga un lugar privado y tranquilo, con una mesa en donde pueda revisar sus materiales por sesenta minutos.

Observarlo *trabajando con niños.* El Especialista CDA en DP™ se sentará y permanecerá en silencio observándolo cómo dirige las actividades del programa con los niños por dos horas. Usted debe trabajar con su Especialista CDA en DP™ con anticipación para asegurarse de que usted programe la observación por dos horas, en donde los niños estén despiertos y en donde usted esté trabajando con ellos durante todo el periodo de la observación.

Reflexionar *con usted.* Luego de las sesiones de Revisión y Observación, usted se reunirá con su Especialista CDA en DP™ para entablar un diálogo reflexivo, en donde usted hablará sobre sus áreas de fortaleza y desarrollo y del propósito de establecer metas profesionales. A pesar de que el diálogo reflexivo es un requisito, éste no influye en si usted obtiene o no la Credencial CDA. El propósito del diálogo reflexivo es apoyarlo en su desarrollo profesional y establecer y seguir una agenda específica (por favor, ver págs. 118-120). Cualquier meta que usted establezca se verá de manera personal y privada y no se enviará al Concilio. Sin embargo, el Concilio le anima a compartir sus metas con un colega de confianza, mentor o inclusive con su supervisor. Las investigaciones muestran que es más probable que los profesionales cumplan las metas que ellos se trazan cuando tienen a otra persona para ofrecerles apoyo y que cuanto se les exige responsabilidad.

Durante la Visita, el Especialista utilizará el Instrumento de Puntuación Global que se encuentra en la parte posterior del libro para determinar las

> En coordinación con su Especialista CDA en DP™, usted tiene la flexibilidad de programar los materiales de la **Revisión** de una hora en cualquier momento antes o después de la **Observación** de dos horas.
>
> La sesión **Reflexión** debe realizarse al final – ya sea inmediatamente después de las Sesiones Revisión y Observación, más tarde en el día (por ejemplo, durante la Hora de la Siesta) o en otro día de esa semana (por ejemplo, el sábado).
>
> Sin embargo, las tres Sesiones deben completarse dentro de 7 días consecutivos.

Puntuaciones Recomendadas para cada uno de los 51 Ítems que se encuentran en cada una de las trece Áreas Funcionales ubicadas en las págs. 39-104 de este libro, u tilizando una combinación de evidencia encontrada en su Portafolio Profesional y mediante su observación viéndolo trabajando con niños.

Luego, el Especialista CDA en DP™ presentará las Puntuaciones Recomendadas al Concilio en línea, dentro de las 48 horas de su Visita de Verificación CDA™. El Concilio combinará estas puntuaciones, junto con la calificación del Examen CDA, en una Puntuación Acumulativa final que determinará su decisión sobre la certificación.

El Examen CDA

Luego de que usted reciba su notificación o aviso *Listos para Programar el Examen* (que incluirá su número de identificación (ID) de Candidato), usted puede proceder a programar su Examen CDA. Usted rendirá el examen en computadora en un centro de evaluación local Pearson VUE. Nota: No existe una tarifa adicional para rendir su Examen CDA.

Programación de Su Examen CDA

Programar su examen es muy sencillo. Usted debe contactarse directamente con Pearson VUE , ya sea a través de la página web o por teléfono. Nota: El Concilio no puede programar el Examen CDA por usted.

Programe con Pearson VUE en línea:

1. Vaya a *www.pearsonvue.com/cdaexam*
2. Dé clic en el botón *Programar un Examen* que se encuentra al lado derecha de su pantalla
3. Dé clic en el enlace *Crear una Cuenta Web*
4. Ingrese el número de identificación (ID) del Candidato que recibió con su notificación del Concilio *Listos para Programar el Examen*

> **Si usted crea su cuenta en línea Pearson Vue…**
>
> …podrá encontrar el centro de evaluación más cercano a usted, mirar su calendario y elegir una fecha y hora convenientes para su examen. Podrá acceder a su cuenta en cualquier momento para obtener instrucciones para el centro de evaluación y para cancelar o reprogramar su examen.

(Nota: no podrá proceder sin brindar este número, por lo tanto usted no puede programar su Examen CDA hasta que haya recibido su notificación *Listos para Programar el Examen*).

5. Verifique que toda su información personal sea correcta (Nota: Si alguna de su información es incorrecta, por favor contacte de inmediato al Concilio al 800-424-4310)
6. Configure su nombre de usuario y contraseña, escribiéndolos en su Lista de Verificación del Candidato, que se encuentra en el reverso de la portada de este libro).
7. Una vez que usted haya creado su Cuenta Web de Pearson VUE, puede regresar a *www.pearsonvue.com/cdaexam* en cualquier momento para encontrar el centro de evaluación más cercano basándose en su código postal, programar, cancelar o reprogramar su Examen CDA.

Programe con Pearson VUE por teléfono:

1. Llame al 866-507-5627 (8:00 a.m. a 8:00 p.m. hora del Este. De lunes a viernes)

2. Dígale al operador su número de identificación (ID) de Candidato o su nombre y que usted desea programar el Examen CDA.

3. Verifique que toda su información personal sea correcta (Nota: Si alguna de su información es incorrecta, por favor contáctese de inmediato con el Concilio al 800-424-4310)

4. Dígale al operador cuándo y dónde a usted le gustaría rendir el Examen CDA. El operador le ayudará a encontrar el centro de evaluación más cercano.

Nota: Los Candidatos Militares que desean programar su examen en sus bases deben hacerlo en *www.pearsonvue.com/military*.

Luego de que usted programe su Examen CDA, recibirá una *Nota de Confirmación* de Pearson VUE con la ubicación y fecha que eligió para su Examen CDA. La confirmación también incluirá la dirección, teléfono e instrucciones del centro de evaluación que escogió. Escriba la dirección y teléfono en su Lista de Verificación del Candidato, que se encuentra en el reverso de la portada de este libro.

> ## ¡Prepárese para el Éxito!
>
> Elija el lugar y fecha del examen que sean más convenientes para usted. Antes de que elija el centro de evaluación, asegúrese de investigar su ubicación, accesibilidad y disponibilidad de estacionamiento (revise la información presentada en la página web o pregunte a Pearson VUE cuando llame). Calcule cuánto tiempo le tomará llegar al centro de evaluación y elija la hora de la cita de acuerdo a ello.
>
> Usted debe llegar al centro de evaluación al menos 15 minutos antes de la hora de su cita. Calcule cuánto le tomará llegar al centro de evaluación. Si usted llega tarde, usted no podrá rendir el examen

Reprogramación de Su Examen CDA

Si necesita reprogramar el Examen CDA, usted primero debe cancelar su cita actual antes de poder programar una nueva. Pearson VUE le cobrará una tarifa de cancelación de $15 cada vez que cancele el examen CDA programado. Usted sólo puede usar una tarjeta de crédito o débito para pagar la tarifa de cancelación. Usted puede cancelar y reprogramar la cita de su examen a través de su cuenta en línea de Pearson VUE o puede llamar a Pearson VUE al 866-507-5627 (8:00 a.m. - 8:00 p.m. hora del Este, de lunes a viernes).

Usted no podrá cancelar dentro de las 24 horas antes de su examen programado. Si usted pierde su examen programado, Pearson VUE requerirá una tarifa adicional de $65 para un segundo examen. Con el fin de hacer esto, primero debe contactar al Concilio al 800-424-4310 para la autorización.

Si por problemas climatológicos o algún desastre natural es inaccesible o inseguro acudir al centro de evaluación, el examen se retrasará o cancelará sin ninguna penalidad. Llame a Pearson VUE al 866-507-5627 o llame al centro de evaluación directamente para obtener detalles sobre retrasos o cancelaciones de examen por problemas climatológicos.

Preparación para Su Examen CDA

El Examen CDA abarca ejemplos prácticos de las mejores prácticas en educación infantil, material encontrado en las Normas de Competencia CDA y Áreas Funcionales. Sus 120 horas de educación profesional y las 480 horas trabajando con niños pequeños deben prepararlo para el Examen. Para repasar , usted puede revisar la sección Normas de Competencia de este libro y "Preguntas del Examen CDA" que se encuentran en las págs. 121-122.

Rendir el Examen CDA

Usted podrá tomar el examen CDA sólo una vez durante su proceso de certificación.

Antes de iniciar el Examen

El Examen se le presentará en ingléso español dependiendo de la elección que usted indicó en su solicitud CDA. Antes de iniciar el examen, el programa de la computadora le dará 15 minutos para revisar las instrucciones, aceptar el Acuerdo de Confidencialidad requerido y practicar dando clic con el mouse para responder tres preguntas prácticas.

Usted tendrá una hora y 45 minutos para completar el examen, sin embargo, la mayoría de los Candidatos es capaz de completar el Examen en una hora o menos. Nota: El programa de la computadora le recordará cuando a usted le queden 30 minutos y 10 minutos.

Reglas y Procedimientos en los Centros de Evaluación Pearson Vue

- Necesitará una identificación (ID) válida para rendir su Examen. Esta identificación (ID) con foto debe incluir su firma y su nombre debe coincidir con el nombre que usted escribió en su solicitud CDA. Nota: Si contrajo matrimonio o se divorció desde el tiempo que completó su solicitud al Concilio, debe llevar un certificado de matrimonio o sentencia de divorcio con usted al centro de evaluación.

- Se le pedirá firmar un acuerdo de las reglas para rendir el examen de Pearson VUE.

- Antes de ingresar a la sala de evaluación, el supervisor de Pearson Vue le pedirá dejar todas sus pertenencias fuera de la sala de evaluación, en un casillero o en su auto.

- Sus amigos o familiares no podrán esperarlo en el área de espera.

- Usted podrá ir al baño durante el examen, pero su reloj automático seguirá corriendo.

- Levante siempre la mano si necesita asistencia. No dude en pedir ayuda si tiene problemas técnicos.

- Habrá otras personas tomando el examen con usted. En la sala sea siempre respetuoso y trate de no molestar a los demás

El Examen CDA consta de 65 preguntas múltiples incluyendo cinco que presentan una foto y una breve situación o historia en el salón de clases. Las preguntas se presentarán una a la vez. Usted podrá desplazarse libremente entre las preguntas, eligiéndolas y cambiándolas tantas veces como el tiempo lo permita.

El Examen CDA ha sido diseñado de forma fácil para las personas que no presentan mucha experiencia en el uso con computadoras. Usted sólo necesitará saber cómo señalar y dar clic con el ratón (mouse) con el fin de completar el Examen

Intente responder todas las preguntas, aún si tiene que adivinar. Las preguntas sin contestar serán corregidas como incorrectas. Si usted no está seguro de una respuesta, puede "marcar" la pregunta para revisarla después. Luego de ver todas las 65 preguntas, se le mostrará una pantalla de "Revisión". Esta pantalla de Revisión es un resumen de todas sus respuestas, incluyendo las preguntas que no respondió (incompletas) y las preguntas que usted marcó para revisar después. Si el tiempo lo permite, usted podrá regresar para responder las preguntas que marcó para revisar lo que no contestó. Cuando esté listo, dé clic en "Finalizar Revisión". Una vez que haga esto, ya no podrá volver para revisar o cambiar sus respuestas.

> ## Tutorial del Examen
>
> El Concilio ha creado un tutorial para enseñarle cómo utilizar las diferentes funciones de las pantallas del Examen CDA.
>
> Usted encontrará el tutorial visitando *www.cdacouncil.org/CDAexam/tutorial*.

Cuando usted termine, debe dar clic en el botón "Enviar Examen" antes de dejar la sala de evaluación. Las respuestas de su examen se transmitirán de inmediato al Concilio para el Reconocimiento Profesional.

Una vez recibidas las puntuaciones de su Examen CDA, junto con las Puntuaciones Recomendadas de la Visita de Verificación CDA™, presentadas por su Especialista CDA en Desarrollo Profesional™, el Concilio las combinará en una Puntuación Acumulativa final que determinará la decisión de su certificación.

Obtener Su Credencial CDA

Luego que el Concilio recibe sus puntuaciones de su Visita de Verificación CDA™ y de su Examen CDA, el Concilio crea una Puntuación Acumulativa con el fin de determinar su decisión final sobre la certificación.

La Puntuación Acumulativa toma en cuenta su comprensión de las seis Normas de Competencia CDA y las 13 Áreas Funcionales (Parte 2 de este libro)

4 Obtención **5** Renovación

• **Obtenga su Credencial CDA**

• **Renueve su Credencial CDA**

• **Obtenga una segunda Credencial CDA**

y su capacidad de ponerlas en práctica. No existe una nota aprobatoria o desaprobatoria en el Examen CDA ni en la Visita de Verificación CDA™. En lugar de ello, el Concilio evalúa de manera exhaustiva su puntuación en cada una de las Áreas Funcionales durante la Visita de Verificación CDA™ en el Examen CDA para tomar una decisión. Como resultado, usted no recibirá una puntuación después de haber rendido su Examen CDA o luego de la Visita de Verificación CDA™.

Si el Concilio determina que sus Puntuación Acumulativa cumplen con el requisito de certificación, se le otorgará la Credencial de Asociado en Desarrollo Infantil™ (CDA). Si el Concilio determina que su Puntuación Acumulativa no cumple con el requisito de certificación, se le notificará e informará de los procedimientos de apelación y otras opciones posteriores.

Si usted obtiene su CDA, el Concilio le enviará su credencial a la dirección que figura en su solicitud.

Renovar Su Credencial

Una credencial CDA es válida por tres años a partir de la fecha de su otorgamiento. Usted puede solicitar la renovación de su credencial CDA a partir de los seis meses antes de que expire. Con el fin de renovar su credencial CDA usted deberá entregar:

• Constancia de certificados válidos y actuales de capacitación recibida o tarjetas de a) cualquier curso de primeros auxilios en persona y b) un curso de CPR para bebés/niños (pediátrico) impartido por una organización de capacitación reconocida a nivel nacional (como la Cruz Roja Americana o la Asociación Americana del Corazón). *No se acepta capacitación en línea.

• Constancia de capacitación de educación profesional acorde con el ambiente de trabajo de la credencial original del Candidato: al menos 4.5 unidades de educación continua (CEU por sus siglas en inglés) o un curso de tres créditos en educación/desarrollo infantil (estas horas deben ser diferentes a las 120 horas originales que usted adquirió para obtener su credencial CDA inicial. Usted ya obtuvo la credencial CDA. A medida que usted se prepara para renovar su credencial, su desarrollo profesional y cursos de capacitación deben destacar sus conocimientos básicos y destrezas. Usted no debe tomar nuevamente los mismos cursos que ya estudió cuando solicitó su credencial original.

- Constancia de un mínimo de 80 horas de experiencia de trabajo reciente con niños pequeños acordes con el ambiente de trabajo de su credencial inicial (dentro del año en curso).

- Una recomendación de un revisor en educación infantil en la que ponga de manifiesto las habilidades suyas como candidato en el trabajo con niños pequeños acordes con el ambiente de trabajo de su credencial inicial (el formulario para esta recomendación aparece en la *Guía de procedimientos de renovación CDA*, la cual se encuentra disponible en nuestro sitio electrónico.)

- Constancia de membresía actual en una organización profesional local o nacional en educación infantil.

Visite la sección *www.dacouncil.org/renewal* en nuestro sitio electrónico o vea los procedimientos de renovación CDA para aprender más sobre el proceso de renovación.

Obtener una Segunda Credencial

Los Candidatos que desean obtener una Credencial CDA de otro tipo (Bebés/Toddlers, Preescolares, Hogar de Cuidado y Educación Infantil o Visitadores de Hogares) deben completar el proceso de certificación CDA de nuevo. Todos los pasos deben completarse y usted debe presentar una nueva tarifa de evaluación. Sin embargo, para cumplir el requisito de las 120 horas de educación profesional, usted puede usar nuevamente las partes de su educación profesional que se relacione al segundo tipo de credencial (por ejemplo, una clase titulada "Trabajando con Familias" puede usarse nuevamente para cualquier tipo de credencial, mientras que una clase titulada "Desarrollo Emocional de los Bebés" no puede volver a usarse para la Credencial CDA para Preescolares).

Especializaciones de Idioma

Especialización Bilingüe (inglés y una segunda lengua)

Un programa bilingüe es un programa de desarrollo infantil que tiene metas específicas para fomentar el desarrollo bilingüe en los niños, en donde dos idiomas son constantemente utilizados en actividades diarias y en donde se ayuda a las familias a comprender las metas y apoyar el desarrollo bilingüe de los niños.

Un Candidato bilingüe es un Candidato que trabaja en este tipo de programa y a quién se le requiere utilizar ambos idiomas de manera diaria y constante con los niños y sus familias, y que es capaz de hablar leer y escribir en ambos idiomas lo suficientemente bien para comprender y hacerse entender por los demás en inglés y en la segunda lengua.

Además de todas las competencias que se evalúan en el proceso de certificación estándar, los Candidatos que buscan una Especialización Bilingüe también son evaluados en su capacidad de fomentar y facilitar el desarrollo bilingüe de los niños mediante el uso constante de ambos idiomas en actividades diarias, como lo requiere su trabajo en un programa bilingüe.

A pesar de que no existe un modelo específico de educación bilingüe que este Candidato deba seguir, un Candidato competente es un conocedor del desarrollo del lenguaje, comunicación bilingüe y la integración de cultura e idioma. El Candidato debe tener estrategias específicas para alcanzar el desarrollo bilingüe y ser capaz de implementarlas a través de oportunidades diarias constantes en donde los niños construyen sobre su primera lengua y cultura, mientras aprenden una segunda lengua. Esto puede incluir programas en donde los niños que hablan inglés están aprendiendo una segunda lengua.

1 Preparación

Desde que se agregó al proceso de Certificación CDA en 1979, los requisitos de evaluación Bilingüe CDA han sido desarrollados de tal manera que los Candidatos que trabajan en programas bilingües puedan demostrar sus competencias especiales con el fin de obtener una Credencial CDA con una Especialización Bilingüe. De manera especial, los ejemplos de competencia bilingües requeridos están entretejidos en 11 de las 13 Áreas Funcionales, con la excepción de "Salud" y "Físico". Los ejemplos no están completos – Los Candidatos pueden pensar en muchos ejemplos más de conducta competente para profesionales en aprendizaje y cuidado infantil bilingüe.

Requisitos de Educación

Los Candidatos que solicitan una Especialización Bilingüe deben estudiar los Principios de Aprendizaje de Dos Idiomas (págs. 109-115) como parte de sus horas de estudio bajo el Área

Temática #2:"Mejorando el desarrollo físico e intelectual de los niños". Por lo tanto, además de brindar verificación de la culminación de las 120 horas de educación en registro de notas, certificados o cartas, estos Candidatos deben incluir una descripción del curso o un sílabo (plan de estudios) específicos y pertinente a un curso de estudio de Principios de Aprendizaje de Dos Idiomas.

El Portafolio Profesional

Además de cumplir todos los requisitos estándares para el Portafolio Profesional, la Especialización Bilingüe requiere:

Cuestionarios para la Familia

Cuando invite a las familias a completar los Cuestionarios para la Familia, se debe pedir a las familias que respondan todas las preguntas, prestando atención particular a la Pregunta #14, que es específica para los programas bilingües.

La Recopilación de Recursos

Los Recursos utilizados directamente con niños y sus familias deben presentarse en ambos idiomas (RC I-3, RC II, RC III, RC IV).

Testimonios Reflexivos de Competencia

Tres testimonios deben estar escritos en inglés y tres en el otro idioma (el Candidato puede seleccionar cuáles). Los seis Testimonios de Competencia deben incluir información con respecto a cómo el Candidato aplica los principios del Aprendizaje de Dos Idiomas a su práctica diaria bilingüe con los niños.

El Testimonio de Filosofía Profesional

El Candidato puede escribir el Testimonio de Filosofía Profesional en cualquier idioma.

2 Solicitud

Los Candidatos que desean solicitar una Especialización Bilingüe deben comprar y utilizar la versión en inglés o español de este libro *Normas de Competencia*. La versión en español de este libro incluye una solicitud, el Instrumento de Puntuación Global y todos los recursos escritos en español. Por el momento, el Concilio no ofrece estos materiales en otros idiomas.

 Demostración

La Visita de Verificación CDA™

El Candidato debe utilizar un Especialista CDA en Desarrollo Profesional (DP)™ que sea competente en ambos idiomas (capaz de hablar, leer y escribir en inglés y en el otro idioma) y que pueda comprender y hacerse entender por los niños y adultos. El Especialista CDA en DP™ debe tener una experiencia directa con los programas de Educación Infantil Bilingües y con poblaciones que no hablen inglés. El Especialista CDA en DP™ dirigirá el diálogo reflexivo con el Candidato en ambos idiomas.

La Observación realizada durante la Visita de Verificación CDA™ debe llevarse a cabo en un programa bilingüe elegible y debe reflejar el trabajo del Candidato usando ambos idiomas de manera diaria y constante.

 Los Candidatos que buscan una Especialización Bilingüe también deben mostrar competencia en ejemplos adicionales requeridos que se encuentran en todas las *Normas de Competencia*, como se indica con el ícono especial a la izquierda.

El Examen CDA

Examen CDA se puede tomar ya sea en inglés o español. Los Candidato que solicitan una Especialización Bilingüe de inglés y otro idioma que no sea español rendirán el Examen en inglés.

Especialización Monolingüe

Además de cumplir todos los requisitos para obtener la Credencial CDA, los Candidatos que solicitan una Especialización Monolingüe deben cumplir los siguientes requisitos. Nota: si el idioma de la Especialización no es español, el Candidato debe contactarse con el Concilio antes de realizar la solicitud con el fin de conversar sobre los arreglos especiales.

 Preparación

El Portafolio Profesional

Además de cumplir todos los requisitos estándares para el Portafolio Profesional, la Especialización Monolingüe requiere:

Cuestionarios para la Familia

Los Cuestionarios para la Familia deben completarse por las familias en cualquier de los idiomas.

La Recopilación de Recursos

Los Recursos utilizados directamente con niños y sus familias deben presentarse en español (RC I-3, RC II, RC III, RC IV).

Testimonios Reflexivos de Competencia

Todos los testimonios deben escribirse en español.

El Testimonio de Filosofía Profesional

El Candidato debe escribir el Testimonio de Filosofía Profesional en español.

③ Demostración

La Visita de Verificación CDA™

El Candidato debe seleccionar a un Especialista CDA en Desarrollo Profesional (DP)™ que sea competente en español.

La Observación debe llevarse a cabo en un ambiente de programa monolingüe elegible y debe reflejar el trabajo del Candidato usando español de manera diaria y constante.

El Especialista CDA en DP™ dirigirá el diálogo reflexivo con el Candidato en español.

El Examen CDA

Todos los Candidatos, incluyendo Candidatos Monolingües, pueden rendir el examen CDA, ya sea en inglés o español. Los Candidatos que solicitan una Especialización Monolingüe en un idioma que no es español deben contactarse con el Concilio para los arreglos especiales.

Parte 2

Normas de Competencia de Asociado en Desarrollo Infantil™

I. Establecer y mantener un ambiente de aprendizaje saludable y seguro

II. Fomentar la competencia física e intelectual

III. Apoyar el desarrollo social y emocional, y brindar una guía positiva

IV. Establecer relaciones positivas y productivas con las familias

V. Asegurar un programa bien dirigido, con propósitos útiles y que responda a las necesidades de los participantes

VI. Mantener un compromiso profesional

Normas de Competencia de Asociado en Desarrollo Infantil™

Los Candidatos que aspiran obtener la Credencial CDA son evaluados sobre la base de las Normas de Competencia CDA. Estas normas nacionales son el criterio utilizado para evaluar el desempeño de un profesional en cuidado y aprendizaje infantil con niños, familias, colegas y su comunidad.

Existen seis *Normas de Competencia* – declaraciones que establecen la norma de competencia para una conducta profesional. Las primeras cuatro Normas se relacionan directamente a las experiencias de niños pequeños y por lo tanto se presentan dentro de un *Contexto de Desarrollo*. Cada Contexto de Desarrollo presenta una breve visión general de los principios de desarrollo infantiles que son relevantes y que están relacionados a las Áreas Funcionales dentro de esa Norma.

Las seis Normas se definen con más detalle en 13 *Áreas Funcionales*, que describen las áreas mayores o funciones que un profesional en cuidado y aprendizaje infantil debe completar con el fin de cumplir cada Norma de Competencia. Cada Área Funcional incluye *Ítems* que más adelante se definen también como *Indicadores* y éstos más adelante delinean cada Ítem. Además, la mayoría de los Ítems presentan una lista de *Ejemplos* opcionales para ilustrar las prácticas profesionales claves. Los ejemplos no pretenden ser todos inclusivos pues los estilos de enseñanza individuales, normas de cultura y las necesidades del programa varían. Es probable que los Candidatos, los Especialistas CDA en Desarrollo Profesional™ y otros lectores piensen en más ejemplos además de los que se mencionan en las listas.

También se proporcionan ejemplos para algunos Ítems que son únicos para la Especialización Bilingüe. Por favor, consulte "Principios para Niños Aprendices de Dos Idiomas" (págs. 109-115) para obtener más información sobre los principios que ofrecen guía para trabajar con niños pequeños cuya lengua principal (materna) no sea español. Una descripción de los componentes de desarrollo de la adquisición de dos idiomas enfatiza la importancia de las prácticas competentes que respaldan el desarrollo de dos idiomas constructivo de niños en edad preescolar. Se presentan múltiples ejemplos de prácticas competentes.

Los profesionales competentes en cuidado y aprendizaje infantil integran su trabajo y constantemente adoptan sus habilidades pensando siempre en el desarrollo integral del niño. En todas las Áreas Funcionales, para estos profesionales es importante individualizar su trabajo con cada niño y a la vez satisfacer las necesidades del grupo. Además, los profesionales deben mostrar una competencia cultural, apoyando a los niños y familias de una variedad de grupos culturales, así como cumplir las necesidades únicas de los niños con necesidades especiales. Los profesionales competentes deben también demostrar cualidades personales, como flexibilidad y un estilo positivo de comunicación con los niños pequeños y con las familias con las que trabaja.

Cómo utilizar las Normas de Competencia CDA

Normas Universales

Las Normas, Áreas Funcionales, Ítems e Indicadores son universales (se aplican a programas de Bebés/ Toddlers, Preescolares y Programa de Hogar de Cuidado y Educación Infantil). Sin embargo, los Ejemplos se basan en los niveles de desarrollo de los niños y varían según el tipo de Credencial (en otras palabras, muchos de los ejemplos para bebés/toddlers que se encuentran en este libro pueden ser diferentes que los ejemplos de Preescolares que se encuentran en el libro *Normas de Competencia para Preescolares*).

Jerarquía de las Normas

Clave de la Jerarquía de las Normas de Competencia CDA:

Norma de Competencia

Área Funcional

Ítem/Ítem/Ítem

a) Indicador

• Ejemplo

Organización de los Ítems

Para facilitar el uso del Instrumento de Puntuación Global, el cual será usado por el Especialista CDA en Desarrollo Profesional™, los Ítems que se encuentran en las siguientes páginas han sido codificados por color para que coincidan con la manera en la que serán utilizados durante la revisión y la observación:

Ambientes de Trabajo y Actividades

Acciones e Interacciones

Revisión

Especialización Bilingüe

 Indica un ejemplo requerido para Candidatos que aspiran obtener un CDA con Especialización Bilingüe

Una Mirada a las Normas de Competencia para Bebés/Toodlers

Norma de Competencia	Área Funcional	Definiciones
I. Establecer y mantener un ambiente de aprendizaje saludable y seguro	1. Seguridad	El Candidato brinda un ambiente seguro y enseña a los niños prácticas de seguridad para prevenir y reducir accidentes.
	2. Salud	El Candidato brinda un ambiente que promueve la buena salud, previene enfermedades, y enseña a los niños sobre la buena nutrición y prácticas que fomenten la buena salud.
	3. Ambiente de Aprendizaje	El Candidato organiza y usa relaciones, el espacio físico, materiales, horario diario y rutinas con el fin de crear un ambiente seguro, interesante y agradable que fomente la participación, el juego, la exploración y el aprendizaje de todos los niños, incluyendo a los niños con discapacidades y necesidades especiales.
II. Fomentar la competencia física e intelectual	4. Físico	El Candidato utiliza una variedad de equipo, experiencias de aprendizaje y estrategias de enseñanza apropiados al nivel de desarrollo de los niños para promover su desarrollo físico (motricidad fina y motricidad).
	5. Cognoscitivo	El Candidato utiliza una variedad de experiencias de aprendizaje y estrategias de enseñanza apropiadas al nivel de desarrollo de los niños para promover la curiosidad, el razonamiento y la resolución de problemas, y para sentar las bases para todo aprendizaje posterior. El Candidato implementa un plan de estudios que promueve el aprendizaje de los niños de importantes metas de contenido tales como matemáticas, tecnología, estudios sociales, ciencias y otras.
	6. Comunicación	El Candidato utiliza una variedad de experiencias de aprendizaje y estrategias de enseñanza apropiadas al nivel de desarrollo de los niños para promover su lenguaje y el aprendizaje inicial de la lecto-escritura, y para ayudarlos a comunicar sus ideas y sentimientos de manera verbal y no-verbal. El Candidato ayuda a los niños aprendices de dos idiomas a progresar en la comprensión y en la expresión oral, tanto en el idioma inglés como en su lengua materna.
	7. Creatividad	El Candidato utiliza una variedad de experiencias de aprendizaje y estrategias de enseñanza apropiadas al nivel de desarrollo de los niños, para que exploren la música, el movimiento y las artes visuales, y para desarrollar y expresar sus capacidades creativas e individuales.
III. Apoyar el desarrollo social y emocional, y brindar una guía positiva	8. Concepto de Sí Mismo	El Candidato desarrolla una relación afectuosa, positiva, de apoyo y receptiva con cada niño, y ayuda a cada niño a aprender y a sentirse orgulloso de su propia identidad individual y cultural.
	9. Social	El Candidato ayuda a cada niño a desempeñarse eficazmente dentro del grupo, a aprender a expresar sus sentimientos, a adquirir destrezas sociales y hacer amigos, y fomenta el respeto mutuo entre niños y adultos
	10. Guía	El Candidato brinda un ambiente de apoyo y utiliza estrategias efectivas para promover la autorregulación de los niños y apoyar las conductas apropiadas; e interviene eficazmente cuando se presentan niños con conductas constantemente desafiantes
IV. Establecer relaciones positivas y productivas con las familias	11. Familias	El Candidato establece una relación positiva, receptiva y de cooperación con la familia de cada niño, involucrándose en la comunicación de dos vías entre él o ella y las familias, estimula su participación en el programa y apoya la relación del niño con su familia.
V. Asegurar un programa bien dirigido, con propósitos útiles y que responda a las necesidades de los participantes	12. Manejo del Programa	El Candidato es un administrador que utiliza la observación, la documentación y la planificación para apoyar el desarrollo y aprendizaje de los niños y para asegurar el funcionamiento eficaz de la clase o del grupo. El Candidato competente organiza, planifica, conserva expedientes, se comunica y es un compañero de trabajo cooperador.
VI. Mantener un compromiso profesional	13. Profesionalismo	El Candidato toma decisiones fundamentadas en el conocimiento de las prácticas de la educación infantil que tiene como base la investigación, promueve servicios de cuidado y educación infantil de alta calidad y toma ventaja de las oportunidades para mejorar el conocimiento y la competencia, tanto para su desarrollo personal y profesional como para el beneficio de los niños y sus familias.

Norma de Competencia I:

Establecer y mantener un ambiente de aprendizaje saludable y seguro

Contexto de Desarrollo

Seguridad:

Bebés pequeños y bebés móviles *(desde el nacimiento hasta los 17 meses)* necesitan un cuidado físico afectuoso y competente orientado a sus necesitadas individuales y a sus ritmos. Los adultos pueden ayudar a los bebés de manera regular alimentándolos, haciéndolos dormir y en otras actividades de manera gradual, mientras continúan balanceando las necesidades del bebé y las del grupo.

Toddlers *(de 18 a 36 meses)* imitan y aprenden de las actividades de aquéllos que los rodean. Se pueden establecer buenos hábitos a través del ejemplo y al fomentar el lavado de las manos, la alimentación nutritiva, etc. Los toddlers son cada vez más curiosos de su mundo. Ellos extienden sus límites y prueban todo lo que existe en sus alrededores. Los adultos deben estar atentos a sus actividades y garantizar su seguridad al darles explicaciones simples sobre medidas de seguridad.

Salud:

Bebés pequeños y bebés móviles *(desde el nacimiento hasta los 17 meses)* necesitan un cuidado afectivo y competentemente físico orientado a sus necesidades físicas y ritmos. Los adultos individualizan las rutinas de alimentación, hacer dormir y otras experiencias diarias de los bebés mientras continúan balanceando las necesidades del bebé y las del grupo.

Toddlers *(de 18 a 36 meses)* imitan y aprenden de aquéllos que los rodean. Se pueden establecer buenos hábitos a través del ejemplo y al fomentar el lavado de las manos, la alimentación nutritiva, etc.

Ambiente de Aprendizaje:

Bebés pequeños *(desde el nacimiento hasta los 8 meses)* aprenden del ambiente que los rodea y experimentan diariamente con algunas personas importantes. El sentido de bienestar y seguridad emocional transmitido por un educador amoroso y calificado crea una disposición para otras experiencias. Antes de que los bebés puedan arrastrarse y gatear, los adultos deben brindar una variedad de experiencias sensoriales y estimular el movimiento y la alegría en el juego.

Bebés móviles *(de 9 a 17 meses)* son activos, independientes y curiosos. Son cada vez más perseverantes y decididos en hacer las cosas. Necesitan muchas oportunidades para practicar nuevas habilidades y explorar el ambiente dentro de límites seguros. Los adultos pueden compartir el deleite que sienten los niños de sí mismos, de sus habilidades y descubrimientos, y gradualmente agregar variedad en el ambiente de aprendizaje que continúe fomentando las relaciones y la exploración.

Toddlers *(de 18 a 36 meses)* desarrollan cada día nuevas habilidades de lenguaje, control físico y conciencia de ellos mismos y de los demás. Disfrutan participar en actividades planificadas y de grupo, pero aún no están listos para sentarse quietos o trabajar en grupo por mucho tiempo. Los adultos pueden apoyar su aprendizaje en todas las áreas al mantener un ambiente que sea confiable pero lo suficientemente flexible, brindando oportunidades para ellos para ampliar sus destrezas, comprensión y su juicio de manera individual.

Área Funcional 1: Seguridad

El Candidato brinda un ambiente seguro y enseña a los niños practicas de seguridad para prevenir y reducir accidentes.

Ítem 1.1 Los ambientes son seguros para todos los niños y adultos.

Indicador:

a) **Los materiales, equipo y ambientes son seguros.**

Ejemplos

- Las áreas de juegos interiores y exteriores se encuentran en buen estado, libres de desechos, estructuras en riesgo, astillas, estufas descubiertas, herramientas, etc.

- Las sustancias peligrosas no se encuentran al alcance de los niños (así como cualquier objeto bajo la etiqueta de "mantener fuera del alcance de los niños", medicinas, productos de limpieza, fósforos, pedacitos de pintura, plantas tóxicas, objetos pequeños que se puedan ingerir, globos y bolsas plásticas).

- El equipo de juegos al interior y al aire libre está amortiguado con almohadillas o con otros materiales suficientemente gruesos para prevenir accidentes.

- Los juguetes y el equipo son irrompibles, demasiado largos para tragarse y cumplen las normas de seguridad vigentes.

- El equipo de seguridad (como extintores de fuego y detectores de humo) está en su lugar y funciona.

- Todos los materiales de los niños son no tóxicos, no inflamables y/o a base de agua.

- El mobiliario es adecuado para el desarrollo y tamaño de los niños.

- Los tomacorrientes están cubiertos con tapones de seguridad o con otros dispositivos de seguridad.

- Los cables electrónicos y las cubiertas de ventanas están fuera del alcance de los niños.

- La calefacción o unidades a/c están seguras y/o son inaccesibles a los niños.

- Las paredes y los muebles no tienen bordes afilados.

- Los tapetes y toda el área alfombrada presentan una base antideslizante o están aseguradas al piso en donde sea necesario.

- Las salidas están debidamente señaladas y sin obstáculos.

- Las cunas están libres de cobijas/frazadas/mantas que sean grandes o pesadas, almohadas o almohadillas alrededor de la cuna que puedan restringir la respiración de un niño.

- Los lados de las cunas están asegurados en posición "arriba" cuando los niños estén durmiendo.

- Los barrotes de la cuna son seguros y se encuentran en buen estado.

1.2 Los suministros y procedimientos de emergencia bien planificados y organizados son evidentes.

a) Los procedimientos para incendios y otras emergencias se encuentran a la vista.

Ejemplos

- Una lista de números telefónicos actuales para contactar a los padres y a los servicios de emergencia (control de envenenamiento, estación de bomberos, policía, ambulancia/asistencia médica) es accesible.

- Las instrucciones de emergencia colocadas utilizan diagramas, ilustraciones y palabras para comunicar los procedimientos de manera eficaz a los niños, familias y personal.

- Un plan de evacuación por escrito está colocado a la vista.

b) Los suministros de primeros auxilios y medicinas son almacenados adecuadamente y son accesibles únicamente a adultos.

Ejemplos

- Un kit de primeros auxilios es evidente en el salón de clases.

- Un kit portátil de primeros auxilios está disponible para ser llevado al área de juegos, caminatas por el vecindario, excursiones.

- Las medicinas están etiquetadas y son almacenadas como se indican, fuera del alcance de los niños.

- El equipo especial de primeros auxilios y algunas medicinas están disponibles para los niños y autorizados por los padres(como EpiPen para los niños que sufren de asma).

1.3 El Candidato garantiza la seguridad de los niños en todo momento.

a) Se asegura de que los niños sean atendidos en todo momento por adultos autorizados.

Ejemplos

- No deja a los niños solos con un adulto que no esté autorizado.

- Tiene conocimientos básicos sobre primeros auxilios y procedimientos de CPR adecuados para niños pequeños (por ejemplo, cómo lidiar con la asfixia o cortes).

- Deja que sólo las personas autorizadas recojan a los niños.

b) Enseña a los niños prácticas de seguridad adecuadas.

Ejemplos

- Enseña cómo utilizar el equipo de manera segura (trepando las estructuras, montando en los juguetes, altillos/áticos).

- Practica con regularidad procedimientos efectivos contra incendios y otras emergencias, incluyendo procedimientos seguros para los niños con necesidades especiales.

- Utiliza un lenguaje adecuado para ayudar a los toddlers a comprender qué comportamientos son seguros y cuáles podrían causar daño a ellos mismos, a los demás o a los materiales.

 Los Candidatos que buscan una Especialización Bilingüe también deben mostrar evidencia de los siguiente:

- Explica y practica procedimientos seguros (por ejemplo, simulacros de incendio) utilizando el idioma que mejor comprendan los niños.

c) Brinda una supervisión minuciosa y eficaz en todo momento.

Ejemplos

- Supervisa las actividades internas y al aire libre de todos los niños.

- Toma precauciones de seguridad de una manera calmada, evitando que los niños tengan miedo.

- Maneja las situaciones de emergencia de una manera calmada, evitando que los niños se asusten.

- Utiliza procedimientos seguros de viaje en auto y bus, incluyendo el uso adecuado de asientos de auto y/o cinturones de seguridad.

- Se mantiene físicamente cerca de los bebés y toddlers.

- Mantiene un contacto físico con los bebés en el cambiador de pañales o cuando les da un baño (incluso si están sujetados).

- Almacena los suministros de pañales en un lugar en donde se tenga acceso inmediato al cambiador de pañales.

- Sostiene la mano de los toddlers cuando están cerca de un área peligrosa (por ejemplo, calles, aguas profundas, esquina de las calles o escaleras).

- Asegura a los niños en sus coches de bebés para dar un paseo.

- Utiliza "lugares seguros" o "zonas seguras" para mantener a los bebés pequeños seguros de los bebés móviles.

- Coloca a los bebés de espaldas al dormir para evitar el Síndrome de Muerte Súbita del Lactante -SMSL (Sudden Infant Death Syndrome -SIDS).

- Conoce las tendencias individuales de los bebés móviles y toddlers para morder, trepar, escapar, etc. Observa o se mantiene cerca a estos niños para anticipar, prevenir y responder rápidamente.

d) Se asegura de no servir alimentos que puedan provocar riesgos de asfixia.

Ejemplo

- No sirve alimentos pequeños que puedan causar asfixia (como hot dog o pedazos de carne, uvas, popcorn/palomitas de maiz, nueces, marshmallows/malvaviscos, gomitas, caramelos duros, semillas, cerezas, etc.).

Área Funcional 2: Salud

El Candidato brinda un ambiente que promueve la buena salud, previene enfermedades, y enseña a los niños sobre la buena nutrición y prácticas que fomenten la buena salud.

Ítem 2.1 Los ambientes de trabajo de los niños fomentan la buena salud.

Indicador:

a) **Los materiales, equipo y ambientes están limpios y fomentan la buena salud.**

Ejemplos

- Los materiales y las áreas de juego están limpios.

- Los envases de basura cubiertos con revestimiento de plástico están disponibles para pañuelos usados, pañales y otros peligros biológicos.

b) **Soluciones y/o productos para desinfectar y esterilizar están presentes y se almacenan de manera adecuada.**

Ejemplos

- No utiliza ambientadores y productos químicos perfumados.

- Utiliza soluciones de agua/lejía para desinfectar y esterilizar superficies y materiales.

- Almacena suministros de limpieza en envases con etiquetas que muestren la fecha, fuera del alcance de los niños y separados de los alimentos y medicinas.

c) **La información médica relevante de las familias de los niños está actualizada y a la vista.**

Ejemplos

- Tiene a la vista información actualizada sobre alergias alimentarias de los niños (cuando se aplica).

- Los números telefónicos de emergencia actualizados de los padres de los niños, pariente más cercano y proveedores médicos son fácilmente accesibles.

- Los registros de salud, tratamientos, y los procedimientos/formularios de administración de primeros auxilios están disponibles.

2.2 El Candidato implementa prácticas de higiene adecuadas para minimizar la propagación de enfermedades contagiosas.

a) **Limpia y esteriliza los materiales y el equipo.**

Ejemplos

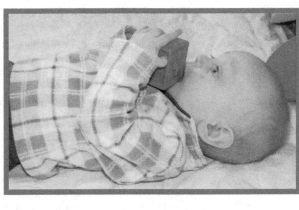

- Limpia todas las superficies utilizadas por los niños (mesas, muebles, mostradores, etc.).

- Barre/trapea los pisos.

- Sigue procedimientos para limpiar, esterilizar y desinfectar los juguetes y materiales.

- Saca del área de juego los objetos que se llevan a la boca.

- Limpia y desinfecta, al menos diariamente, todos los juguetes y objetos que los bebés usan y que se llevan a la boca.

- El área para cambiar pañales se lava con una solución de cloro y se seca después de cada cambio de pañal.

b) **Utiliza procedimientos correctos para lavarse las manos antes y después de servir los alimentos, cambiar pañales/ir al baño y cuando sea necesario.**

Ejemplos

- Sigue una secuencia apropiada del lavado de manos:
    1. moja las manos
    2. coloca jabón líquido
    3. lava las manos por veinte segundos
    4. enjuaga
    5. seca
    6. cierra el agua utilizando una toalla de papel

- Se lava las manos muy bien antes y después de cada cambio de pañal (incluso cuando usa guantes) y antes de dar los alimentos.

- Se lava las manos antes y después de ir al baño, preparar los alimentos, comer, limpiarse la nariz y luego de entrar en contacto con algún fluido corporal.

c) **Implementa procedimientos sanitarios para cambiar pañales e ir al baño.**

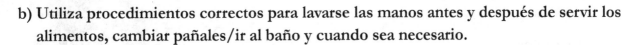

Ejemplos

- Sigue una secuencia apropiada del cambio de pañales:
    1. organiza los materiales
    2. lleva con cuidado al niño al cambiador de pañales
    3. limpia el área del pañal del niño
    4. quita el pañal sucio
    5. coloca un pañal limpio y viste al niño
    6. lava las manos del niño y regresa al niño al área supervisada
    7. limpia el cambiador de pañales
    8. se lava las manos y registra el cambio de pañal en el registro diario

- Desecha los pañales desechables que están sucios en un contenedor sellado.

- Coloca la ropa sucia en bolsas plásticas y cerradas con etiquetas.

- Proporciona ropa extra a los niños cuando sus ropas se ensucian.

- Se asegura de que las instalaciones para ir al baño sean higiénicas (por ejemplo, se jala la cadena/manija de los inodoros (toilets) cada vez que se usan, se limpia el derrame de los fluidos corporales con una solución de lejía).

2.3 El Candidato motiva a los niños a practicar hábitos saludables.

a) Se asegura de que los niños se laven las manos de manera adecuada, brindando ayuda cuando sea necesario.

Ejemplos

- Facilita las actividades de lavado de manos y de ir al baño de una manera positiva, relajada y en un ambiente agradable.

- Enseña la secuencia apropiada del lavado de manos.

- Modela las técnicas apropiadas del lavado de manos.

- Proporciona un banquito/taburete cuando es necesario para que así los niños se puedan lavar las manos cuando sean capaces de hacerlo.

b) Modela, comunica y brinda actividades que enseñan la importancia de la buena salud para los niños y sus familias.

Ejemplos

- Lleva a cabo controles diarios de salud en cada niño para monitorear los síntomas de alguna enfermedad.

- Se asegura de que los niños vistan ropa adecuada para el clima, proporcionando ropa extra cuando es necesario.

- Reconoce conductas inusuales en la salud física de cada niño, animando a los padres a obtener un tratamiento adecuado cuando es necesario.

- Se asegura de que los niños no compartan objetos personales (como cepillos para el cabello, peines, etc.).

- Pone en práctica procedimientos para el cuidado de los niños que están enfermos (por ejemplo, aísla a un niño que presenta una enfermedad contagiosa de los niños sanos brindando supervisión, contacta a los padres y a los proveedores de servicios médicos).

- Utiliza dramatizaciones, modelos, material visual y objetos reales para enseñar prácticas de salud física, mental, dental y de nutrición.

- Brinda oportunidades para que los toddlers aprendan sobre el cuidado de la salud hablándoles sobre las visitas al médico y al dentista, leyéndoles libros y fomentando los juegos de simulación sobre el cuidado de la salud.

- Modela la forma de estornudar en el codo para evitar la propagación de gérmenes.

- Habla con los niños y los padres sobre la importancia del juego al aire libre y de la actividad física para un crecimiento y desarrollo saludables.

- Reconoce sarpullidos e irritaciones en la piel y trabaja con los padres para prevenirlas y tratarlas.

- Reconoce las señales de una crisis de salud que los niños con necesidades especiales puedan tener y responde de manera apropiada (por ejemplo, ataques, convulsiones).

- Planifica actividades que integran información de salud y nutrición del grupo cultural de los niños con prácticas de salud y nutrición médicamente aceptadas.

2.4 El Candidato brinda experiencias adecuadas a la hora de los alimentos.

a) Sirve alimentos y meriendas nutritivos.

Ejemplos

- Sigue procedimientos adecuados de almacenamiento, preparación y alimentación de leche materna.

- Sigue un proceso sanitario para preparar, almacenar y etiquetar los biberones/botellas/mamaderas/teteros/pachas ("bottles") de los bebés.

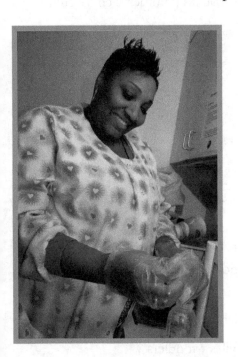

- Planifica menúes, comidas y meriendas nutritivas y adecuadas a la edad de los niños, que sean familiares a la cultura de ellos.

- Limita el uso de azúcar, sal, alimentos procesados, aditivos químicos innecesarios y colores artificiales/saborizantes en las comidas y meriendas.

- Sirve jugos de frutas naturales y sin azúcar y mermeladas en conserva.

- Fomenta beber agua en lugar de bebidas azucaradas.

- Incluye una variedad de frutas y vegetales frescos en las comidas y meriendas.

- Se asegura de que los almuerzos y meriendas que un niño trae no sea compartido con otros niños.

- Conversa con las familias sobre el inicio de nuevos alimentos para los bebés/toddlers.

- Comparte información nutritiva con las familias, motivándolas a proporcionar alimentos saludables cuando ellos traigan alimentos al programa.

b) Facilita experiencias adecuadas a la hora de los alimentos.

Ejemplos

- Establece una rutina relajada a la hora de los alimentos para que el comer sea agradable para cada niño – los bebés pequeños son cargados mientras que los bebés móviles y toddlers se alimentan solos.

- Proporciona cantidades adecuadas de alimentos a los niños.

- Motiva a los niños a alimentarse solos cuando están listos para hacerlo, ayudando a los niños a aprender gradualmente a sostener el biberón/botella/ mamadera/tetero/pacha ("bottle"), beber de una taza, usar un utensilio y alimentarse solos.

- Respeta lo que los niños eligen comer.

- No requiere que los niños terminen los alimentos en sus platos.

- No utiliza los alimentos y snacks/meriendas como recompensa o castigo.

- Sostiene a los bebés y los mantiene en una posición inclinada durante la alimentación.

- Comprende y utiliza prácticas que respaldan el desarrollo oral positivo de los bebés (limpiando las encías después de la alimentación, brindando sólo leche de fórmula/leche materna/agua en biberón/botella/mamadera/tetero/pacha ("bottle").

- Sigue horarios de alimentación individuales.

- No apoya ni coloca los biberones/botellas/mamaderas/teteros/pachas ("bottles") en las cunas.

- Organiza el grupo de tal manera que pueda concentrarse en la alimentación individual de los bebés.

- No apresura la alimentación.

- Alimenta a los toddlers cuando tienen hambre.

- Facilita los alimentos en "Un ambiente familiar" con los toddlers.

- Motiva tener conversaciones agradables en la mesa a la hora de los alimentos con los toddlers.

- Se asegura de que los toddlers coman al estar sentados, en lugar de estar caminando, corriendo, jugando o estando echados.

- Ofrece a los niños oportunidades para que practiquen el comer solos brindando alimentos que se pueden comer con las manos y siguiendo un tiempo adecuado para que la hora de comer sea agradable.

- Brinda meriendas saludables en pequeñas porciones a los toddlers.

- Se asegura de siempre tener agua disponible para los bebés móviles y toddlers.

Área Funcional 3: Ambiente de Aprendizaje

El Candidato organiza y usa , el espacio físico, materiales, horario diario y rutinas con el fin de crear un ambiente seguro, y rutinas como recursos para construir un ambiente interesante, seguro y agradable que fomente la participación, el juego, la exploración y el aprendizaje de todos los niños, incluyendo a los niños con discapacidades y necesidades especiales.

Ítem 3.1 Los ambientes son apropiados al nivel de desarrollo de los niños pequeños.

Indicador:

a) **Los ambientes son agradables, acogedores y brindan niveles de estimulación.**

Ejemplos

- Los ambientes son "hogareños".

- Se minimizan los colores brillantes y el desorden visual.

- Los ambientes incluyen una variedad de sonidos naturales como una conversación natural, cantos, canciones de niños o de cuna, sonidos exteriores, etc.

- Se escucha música a un nivel cómodo y esa música refleja los grupos culturales de los niños.

- Se exhiben pocos o ningún personaje de comerciales.

- Se brinda oportunidades a los bebés para que observen y escuchen los sonidos de otros seres vivientes — humanos, animales y plantas — incluyendo el propio rostro del Candidato.

- Se exhiben carteles o dibujos agradables y culturalmente diversos.

- El arte de los niños y los objetos y/o plantas/ítems culturalmente relevantes de la naturaleza siempre están presentes.

- Se proporciona un espacio "privado" para que los niños estén solos o con un amigo/educador (el rincón de los libros, la caja de cartón/el barril, la tienda/carpa, etc.).

b) **Los ambientes son adaptados y organizados de manera intencional para satisfacer las necesidades de los niños.**

Ejemplos

- Los ambientes y materiales estimulan el probar objetos con la boca, alcanzar objetos, golpear, agarrar, balbucear y la interacción social.

- Los bebés móviles tienen libertad y oportunidades para moverse y explorar dentro de una variedad de espacios seguros (por ejemplo, en el suelo, alfombra, colchón y césped), protegidos de los niños mayores.

- Las áreas para cambiar pañales, ir al baño y comer están separadas.

- Los móviles se colocan sobre las cunas y el cambiador de pañales.

- Los espacios están diseñados para "patrones de tráfico" apropiados

para los bebés móviles y toddlers, para que se muevan y participen libremente, activamente y con seguridad.

- Para los toddlers, los espacios y materiales están organizados en áreas de actividad para grupos pequeños o juegos en solitario, juego de simulación y equipo/construcción para trepar usando la motricidad gruesa.

- La organización de la habitación fomenta la participación e integración de todos los niños, incluyendo a aquéllos con necesidades especiales.

- Las áreas tranquilas (como la de los libros, arte o escritura) se ubican una junto a la otra, separadas de las áreas más activas y con más ruido (como bloques o juegos de simulación).

- Los ambientes están diseñados para ayudar a los toddlers a tener éxito (por ejemplo, el área para construir bloques tiene suficiente espacio y está protegida del movimiento y la circulación, las áreas como pasillos largos o espacios grandes y abiertos que invitan a que los niños corran y se peleen se encuentran minimizadas).

- Las actividades que producen desorden, como jugar en la arena/agua o actividades de arte, se desarrollan cerca de una fuente de agua para una limpieza fácil.

- Los espacios, materiales y equipo se proporcionan tanto en el ambiente interior como al aire libre para la exploración inicial del niño.

- Los ambientes están "ricos en lectura", exponiendo a los niños a la lectura escrita al nivel de sus ojos (como señales significativas, estantes y envases con etiquetas, libros, etc.).

- El trabajo artístico de los niños se exhibe de manera respetuosa.

- Existe un espacio suficiente para crear y almacenar el trabajo terminado y en progreso de los niños.

- Existe un área de transición en la entrada de la habitación que permite tener un espacio para que las familias dejen y recojan a sus niños sus pertenencias.

- Los espacios se adaptan según sea necesario para los niños con necesidades especiales.

- El espacio está organizada en áreas identificables que fomentan el uso apropiado e independiente de los materiales.

- Brinda espacios con superficies suaves (alfombras, almohadas, cobijas/frazadas/mantas) y duras (pisos de vinilo, mesas, estantes de madera), y con muebles de descanso (mecedoras, sofás) que pueden ser disfrutados tanto por niños como por adultos.

- Se brinda más espacio a los niños para explorar, conforme ellos se vuelvan más móviles.

3.2 Los materiales apropiados para el nivel de desarrollo de los niños están disponibles.

a) Los materiales son apropiados para el nivel de desarrollo de todos los niños.

Ejemplos

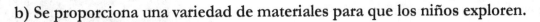

- Los materiales son atractivos a los niños, desafiándolos sin ser demasiado fáciles.

- Los materiales utilizados muestran la aceptación de género, familia, raza, idioma, religión y grupos culturales de cada niño.

- Ofrece materiales de aprendizaje de fácil acceso para que los niños puedan explorar por sí mismos (como, rompecabezas, libros, juguetes para poner uno encima de otro).

- Los materiales son modificados para respaldar las necesidades de todos los niños.

b) Se proporciona una variedad de materiales para que los niños exploren.

Ejemplos

- Los materiales brindados incluyen juguetes que se pueden meter a la boca, juguetes manipulativos que pueden hacer ruido, que se pueden apretar, rodar, presionar, jalar; objetos que se mueven; materiales de causa/efecto; espejos que no se pueden romper; rompecabezas; libros de tela/cartón; objetos de muchas texturas; materiales sensoriales; títeres/marionetas.

c) Existe un número suficiente de materiales que se adapta al tamaño del grupo.

Ejemplos

- Los materiales extra están disponibles y se introducen en el juego a medida que las necesidades y los intereses de los niños cambian.

- Se proporciona un número doble de los materiales más populares.

d) Los materiales están organizados y son accesibles para los niños durante todo el día.

Ejemplos

- Los materiales son clasificados y ubicados al nivel de los niños.

- Los estantes presentan etiquetas con palabras/dibujos.

3.3 El horario diario y el plan o planes semanales son apropiados al nivel de desarrollo de los niños.

a) El horario permite satisfacer las necesidades habituales de los niños.

Ejemplos

- El horario diario refleja los tiempos o momentos de cada día para las necesidades personales de los niños, como comer/beber, descansar, ir al baño, etc.

- Los rituales para que los niños se separen de los padres se presentan de manera constante.

- Se brinda suficiente tiempo a los toddlers para que logren con éxito las tareas de rutina (como ponerse las chaquetas o los zapatos, participar en la limpieza, etc.)

- Las rutinas constantes durante el día equilibran las actividades activas y tranquilas, libres y estructuradas, al interior y al aire libre.

 Los Candidatos que buscan una Especialización Bilingüe también deben mostrar evidencia de lo siguiente.

- Establece y mantiene una rutina para el uso de la segunda lengua en actividades diarias.

b) El horario proporcionado satisface las necesidades de los niños para el juego.

Ejemplos

- Los horarios se establecen de manera individual para los bebés.

- A menudo cambia la posición y ubicación de los bebés durante el día y responde a las destrezas de desarrollo del niño (por ejemplo, al estar boca abajo, sentarse, darse la vuelta, alcanzar objetos y hacer ruidos.).

- Planifica y respalda las necesidades cambiantes de los niños durante el día – para el juego activo, actividad pasiva y descanso.

- Brinda tiempo y espacio a los niños para un juego amplio y concentrado.

c) Los momentos para actividades grupales, cuando se proporcionan, son apropiados al nivel de desarrollo de los niños.

Ejemplos

- Los Tiempos Grupales permiten que los toddlers tengan la elección de participar.

- Los Tiempos Grupales duran mientras los toddlers muestran interés.

- Los Tiempos Grupales ofrecen muchas oportunidades de participación para un aprendizaje activo y sensorial.

d) Las planificaciones semanales proporcionan una variedad de experiencias apropiadas al nivel de desarrollo de los niños.

Ejemplos

- Las planificaciones semanales utilizan información observacional con el fin de respaldar metas para los niños, tanto de manera individual como grupal.

- Los bebés tienen muchas oportunidades individuales cada día para interactuar con el Candidato a través de contacto visual y demostraciones de afecto.

- Las planificaciones proporcionan un equilibrio de las experiencias de aprendizaje: grupos grandes, grupos pequeños e individualmente; actividades iniciadas y dirigidas por los niños y actividades iniciadas y dirigidas por los maestros; activo y tranquilo; estructurado y no estructurado.

- Los bebés pequeños tienen oportunidades regulares de ir afuera para experimentar diversas temperaturas, variaciones de luz, brisas, etc.

- Las planificaciones semanales incluyen interacciones con la comunidad cuando es posible, por ejemplo, paseos cortos a tiendas locales, caminatas alrededor de la cuadra, eventos de la comunidad.

- Las planificaciones proporcionan muchas oportunidades para que los niños interactúen entre sí y con el mundo natural, desarrollen sus sentidos, utilicen sus cuerpos y estimulen sus intereses.

- Planifica actividades que producen desorden, como jugar con arena y agua, pintar con los dedos y dibujar con marcadores o plumones.

- A menudo ofrece más actividades orientadas a procesos que actividades que pretenden crear productos.

- Brinda una variedad de actividades que reflejan los grupos culturales de los niños en la comunidad del salón de clases.

Los Candidatos que buscan una Especialización Bilingüe también deben mostrar evidencia de lo siguiente:

- Utiliza el conocimiento del desarrollo de la segunda lengua para realizar planificaciones para cada niño y para el grupo.

- Estimula el aprendizaje en ambas lenguas mediante las experiencias y actividades diarias.

- Conoce las opiniones de las familias sobre temas relevantes (como el uso de la primera y segunda lengua dentro del programa, crianza de los hijos y biculturalismo) e incorpora sus opiniones en las planificaciones.

- Se utilizan canciones de cuna, canciones, juegos, historias, libros y juegos con los dedos en ambos idiomas, pidiendo a los padres ejemplos familiares.

e) Las siestas agradables o momentos de tranquilidad satisfacen las necesidades de los niños para el descanso.

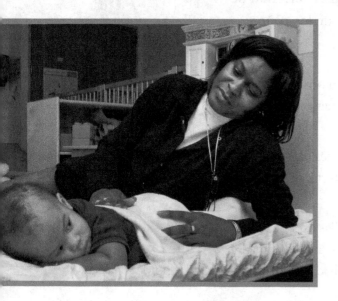

Ejemplos

- Proporciona rutinas relajantes para la hora de la siesta (como música suave, la lectura de un libro o narración de historias).

- Crear un ambiente de amor y confianza mediante un cuidado afectivo y receptivo.

- Los bebés/toddlers más pequeños tienen horarios individuales de siesta.

- Las espaldas de los niños se frotan suave y delicadamente.

- Permite que los toddlers sostengan un objeto que les brinde seguridad mientras descansan.

- Los toddlers mayores tienen por lo menos un tiempo de descanso/siesta cada día en un programa de tiempo completo, y un tiempo de silencio o tranquilidad cada día en los programas de medio tiempo.

3.4 La disposición del Candidato es cariñosa y acogedora.

a) Cultiva una relación amorosa y propicia con cada niño.

Ejemplos

- Sonríe a menudo.

- Fomenta vínculos de seguridad al asignar a un educador principal a cada bebé.

- Con frecuencia carga a los bebés (en brazos o con un canguro).

- Responde a las necesidades de los bebés pequeños para brindarles comodidad y protección.

- Maximiza el contacto físico, cálido y afectuoso con los bebés pequeños al brindar una variedad de contacto físico, desde calmar al bebé hasta estimularlo, dependiendo de la disposición y la necesidad del bebé.

- A menudo, establece contacto visual con los bebés pequeños.

- Responde rápidamente cuando un niño se comunica al alzar los brazos para que lo carguen, señalando algo de su interés, sonriendo o mostrando emociones.

- Está alegre/emocionado o serio, según corresponda la situación.

- Se deleita en los éxitos de cada niño.

- Expresa amabilidad y apoyo cuando un niño tiene un problema.

- Diariamente tiene un contacto físico adecuado con cada niño, transmitiendo amor, afecto y seguridad.

- Utiliza una voz cálida, lenguaje corporal y expresiones faciales con todos los niños.

- Conversa y escucha a los niños al nivel de sus ojos (como en el piso cuando lee y en la mesa de los niños cuando comen).

- Disfruta el sentido del humor de los niños.

- Responde de inmediato y con empatía a las heridas/daños de un niño o al temor de lastimarse, motivando respuestas cariñosas por los otros niños.

3.5 El Candidato demuestra un buen juicio al implementar un Horario Semanal/Plan del Día que se encuentra a la vista.

a) **Sigue, por lo general, el horario y la planificación que se encuentra a la vista.**

Ejemplos

- Implementa rutinas diarias poco a poco y de forma agradable, respetando el ritmo y la sensibilidad de cada bebé o toddler.

b) **Varía el horario y la planificación según sea necesario.**

Ejemplos

- Aprovecha los "momentos de enseñanza" u otras oportunidades de aprendizaje cuando estas surgen (permanece más tiempo en el patio de juegos cuando los niños encuentran un gusano o un insecto de su interés, amplia el tiempo para una actividad cuando los niños continúan mostrando altos niveles de interés).

- Varía las rutinas de manera espontánea para tomar ventaja de las oportunidades inusuales (por ejemplo, va afuera en la nieve, invita a una abuela de visita para compartir historias o canciones, invita a los niños a observar a los trabajadores y maquinarias en la calle, juega con un niño por un tiempo prolongado cuando hay suficientes adultos disponibles para cuidar del grupo).

- Adapta la planificación/horario diario para satisfacer las necesidades, humor e intereses individuales de los niños, incluyendo a los niños con necesidades especiales.

- Brinda a los niños tiempo para finalizar las actividades antes de pasar a la siguiente actividad.

- Ajusta el tiempo de la actividad si ésta no marcha bien.

3.6 El Candidato utiliza una variedad de estrategias durante la transición de los niños de una experiencia/actividad a otra.

a) Muestra una comprensión sobre la importancia de las transiciones.

Ejemplos

- Las transiciones tienen lugar de un modo planificado y predecible.

- Utiliza canciones, movimiento, juego de manera intencional para involucrar el interés o aprendizaje de los niños a lo largo de cada transición (por ejemplo, cantando canciones, recitando rimas o poemas, contando pasos, siguiendo los movimientos del líder, haciendo ejercicios de movimiento, etc.).

- Se prepara para la siguiente actividad para que los niños no pasen demasiado tiempo esperando.

- Da una alerta a los toddlers sobre los cambios en la rutina o de las próximas transiciones con anticipación (como "¡Cinco minutos más antes de ordenar!").

- Para aquellos niños que tienen una dificultad en particular con las transiciones, el Candidato les da una advertencia y explicación individual de lo que viene a continuación.

- Individualiza las transiciones de una actividad a otra con instrucciones claras y con paciencia.

- Minimiza el número de transiciones entre actividades.

- Minimiza la cantidad de tiempo que los niños pasan en las transiciones.

Norma de Competencia II:

Fomentar la competencia física e intelectual.

Contexto de Desarrollo

Físico:

Bebés pequeños *(desde el nacimiento hasta los 8 meses)* utilizan movimientos físicos, prueban, tocan, huelen, miran y oyen para explorar y aprender sobre su propio mundo. Al mover sus brazos, manos, piernas y otras partes de su cuerpo, al tocar y ser tocados, los bebés desarrollan una conciencia de sus cuerpos y de su habilidad de moverse e interactuar con el ambiente. Al usar su boca para explorar, sus manos para alcanzar y agarrar y todo su cuerpo para darse vuelta y sentarse, ellos dominan la destreza y fuerza necesarias para futuras etapas de desarrollo.

Bebés móviles *(de 9 a 17 meses)* se deleitan al practicar y alcanzar nuevas destrezas físicas — arrastrarse, pararse, sentarse, desplazarse y caminar. Ellos interactúan con su ambiente de una manera práctica, utilizando todos los sentidos para examinar y manipular objetos, y de esta manera empiezan a comprender causa y efecto, espacio y distancia.

Toddlers *(de 18 a 36 meses)* continúan dominando las destrezas físicas en su propio nivel individual. Su aprendizaje e interacción con el ambiente continúa de forma activa. A pesar de que estén ganando un gran control y satisfacción mediante el uso de sus músculos finos (por ejemplo, pintando, dibujando o armando rompecabezas), ellos necesitan oportunidades para ejercitar sus músculos grandes a menudo todos los días.

Cognoscitivo:

Bebés pequeños *(desde el nacimiento hasta los 8 meses)* aprender mejor dentro del contexto de sus relaciones con adultos afectuosos y en un ambiente seguro. Algunos aspectos de su desarrollo cognoscitivo (intelectual) temprano incluyen familiarizarse con la distancia y el espacio, los sonidos, las semejanzas y diferencias entre las cosas, y las perspectivas visuales desde varias posiciones — de frente, de espalda, debajo y encima.

Bebés móviles *(de 9 a 17 meses)* aprenden activamente probando cosas, usando objetos como herramientas, comparando, imitando, buscando objetos perdidos y nombrando objetos familiares, lugares y personas. Los adultos pueden ayudar a los niños a ganar confianza en su propia habilidad de aprender y comprender al brindarles oportunidades para explorar su ambiente, objetos y personas, y al compartir el placer del descubrir con ellos.

Toddlers *(de 18 a 36 meses)* ingresan a una nueva y expansiva fase de actividad mental. Ellos están empezando a pensar en palabras y símbolos, a recordar y a imaginar. Su curiosidad los lleva a probar materiales de muchas formas, y los adultos pueden motivar este interés natural al proporcionar una variedad de materiales nuevos para la experimentación. Los adultos necesitan crear un ambiente social de apoyo que contribuya al aprendizaje mostrando entusiasmo por los descubrimientos individuales de los niños y ayudándoles a usar palabras para describir y comprender sus experiencias. El desarrollo cognoscitivo y social de los niños está íntegramente conectado.

Norma de Competencia II (continuación)

Comunicación:

Bebés pequeños *(desde el nacimiento hasta los 8 meses)* necesitan que los adultos estén atentos a su comunicación no-verbal y pre-verbal. Los adultos pueden brindar un mejor cuidado cuando responden sensiblemente a las señales individuales de cada bebé. Los primeros llantos de los bebés, balbuceos y arrullos son formas tempranas de comunicación. El desarrollo del habla del bebé se facilita cuando un compañero lo estimula al responder a sus comunicaciones iniciales y al cantar y hablar con ellos sobre ellos mismos y su mundo.

Bebés móviles *(de 9 a 17 meses)* empiezan a balbucear de forma expresiva, a nombrar objetos familiares y personas, y a comprender muchas palabras y frases. Los adultos pueden desarrollar esta comunicación al mostrar un interés activo en las expresiones del niño, al interpretar sus primeros intentos de palabras, al repetir y ampliar lo que ellos dicen, al hablarles claramente, al cantar canciones y al narrar historias.

Toddlers *(de 18 a 36 meses)* aumentan su vocabulario y el uso de oraciones diariamente. A pesar de que existe un amplio grado de desarrollo típico del lenguaje durante esta etapa, también puede ser una oportunidad para una intervención temprana si se presenta dificultades o retrasos en el lenguaje. Los adultos deben comunicarse activamente con todos los toddlers — modelando un buen lenguaje, escuchando atentamente y brindando una amplia gama de vocabulario. El lenguaje debe usarse cada día en una variedad de formas placenteras, incluyendo canciones, historias, instrucciones, comodidad, conversaciones, información y juego.

Creatividad:

Bebés pequeños y bebés móviles *(desde el nacimiento hasta los 17 meses)* son creativos en sus diferentes estilos de interactuar con el mundo. Los adultos pueden apoyar su creatividad respetando y disfrutando de la variedad de formas en que los bebés se expresan y actúan en su ambiente.

Toddlers *(de 18 a 36 meses)* están interesados en utilizar materiales para crear su propio producto — a veces para destruirlo y crearlo de nuevo o para continuar con otra cosa. Por ejemplo, se vuelven absortos al mojar una brocha en pintura y observan la pincelada de color en un papel. Usan sus voces y cuerpos de manera creativa — balanceándose, gritando y cantando. Disfrutan inventando sus propias palabras y ritmos, así como aprendiendo canciones y ritmos tradicionales. Los adultos pueden ofrecer agua, arena, bloques y otros materiales de composición abierta o materias primas y oportunidades para la creatividad de los toddlers, y mostrar respeto por lo que ellos hacen. El juego imaginario y el de pretender aparecen gradualmente y son señales de una capacidad cognoscitiva emergente para comprender símbolos. Los adultos pueden unirse en el juego de la imaginación al ayudar al toddler a distinguir lo que es real de lo que no lo es.

Área Funcional 4: Físico

El Candidato utiliza una variedad de equipo, experiencias de aprendizaje y estrategias de enseñanza apropiadas al nivel de desarrollo de los niños para promover su desarrollo físico (motricidad fina y motricidad gruesa).

Ítem 4.1 Las actividades, materiales y equipo estimulan a los niños con diferentes capacidades a desarrollar su motricidad gruesa.

Indicador:

a) Las habilidades de la motricidad gruesa se fomentan a través de materiales, equipo y actividades en el interior o al aire libre apropiados a su desarrollo.

Ejemplos

- Limita el tiempo utilizado en columpios, sillitas mecedoras de bebés, centros fijos de actividad (centro de actividades para bebés) y sillas altas.

- Los bebés/toddlers más pequeños tienen oportunidades seguras para practicar arrastrarse, gatear, caminar, balancearse, trepar, bajar escaleras, rodar, alcanzar, empujar, jalar, pararse, arrojar/lanzar, corer, etc. tanto en ambientes interiores como exteriores.

- Se ofrecen plataformas, rampas y mobiliario de baja altura para que así los bebés y toddlers puedan explorar y seguir adelante con las actividades.

- Los toddlers mayores tienen oportunidades seguras de caminar, correr, trepar, saltar, tirar/arrojar, patear, bailar, galopar/correr, balancearse, mecerse, montar, empujar, pedalear, etc.

- Los toddlers disponen de materiales como bufandas, bolsitas rellenas de frijolitos (bean bags), pelotas, cintas/listones, así como también recipientes para llenar y vaciar.

- Se ofrece una variedad de actividades a los toddlers que reflejan su cultura o culturas, como bailes, música/movimiento y juegos activos.

4.2 Las actividades y materiales estimulan a los niños de diferentes capacidades a desarrollar sus motricidad fina.

a) Las habilidades individuales de la motricidad fina se fomentan a través de una variedad de materiales y actividades apropiados para el desarrollo.

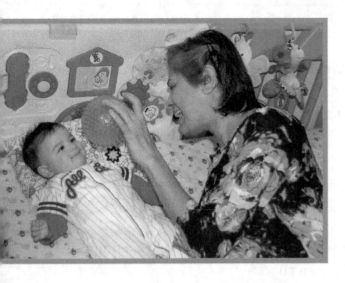

Ejemplos

- Se ofrece actividades y materiales apropiados para ayudar a los bebés a desarrollar las destrezas de la motricidad fina como agarrar, dejar caer, jalar, empujar, tirar, tocar con los dedos y probar con la boca.

- Los bebés tienen oportunidades para desarrollar la coordinación ojo-mano de maneras que presenten desafío y satisfacción (por ejemplo, hacer encajar objetos por el hueco de una caja, comer solos).

- Los bebés tienen oportunidades para jugar y manipular una variedad de objetos.

- Se estimula a los bebés móviles a utilizar una variedad de objetos y el uso de herramientas (como juguetes para jalar, una cubeta para llevar objetos y una pala para excavar en la arena, etc.).

- Los toddlers tienen materiales que respaldan una serie de niveles de habilidades de motricidad fina (como una variedad de juguetes manipulativos, rompecabezas con diferente número de piezas, etc.).

- Los toddlers tienen oportunidades para utilizar utensilios/herramientas (como una cuchara para revolver, un embudo para verter agua a través de él, un recipiente para llenar y llevar objetos, una pala para recoger arena, etc.).

4.3 Las actividades y materiales fomentan que los niños desarrollen sus sentidos.

a) Las experiencias de ver, oír, oler, probar y tocar se fomentan mediante una variedad de materiales y actividades apropiados al nivel de desarrollo de los niños.

Ejemplos

- Las actividades brindadas incluyen oportunidades para notar colores, olores, distinguir sonidos, sentir y tocar una variedad de texturas, probar diferentes alimentos, escuchar música de todo el mundo, etc.

- Los materiales que se ofrecen incluyen tableros con texturas, frascos con olor, plastilina con fragancia, instrumentos musicales, etc.

- Las rutinas diarias se utilizan como oportunidades para llamar la atención de un niño hacia los estímulos sensoriales (como "el broche de tu chaqueta hace un sonido 'pop'," "tus rodajas de naranja huelen delicioso," "el agua en la mesa está tibia" etc.)

4.4 La facilitación del Candidato fomenta el desarrollo físico de los niños.

a) Participa en actividades físicas con los niños, cuando es adecuado.

Ejemplos

- Inicia o se une para bailar, jugar, trepar, dibujar, pintar, etc.

- Se asegura de que todos los niños estén bien supervisados antes de unirse a una actividad.

b) Guía el desarrollo de las habilidades de motricidad fina y gruesa de los niños.

Ejemplos

- Responde de manera positiva a las habilidades de desarrollo únicas de cada bebé (por ejemplo, levantar la cabeza, sentarse, rodar, alcanzar objetos y hacer ruidos).

- Mientras que los niños se desarrollan, incrementa la variedad y el desafío de las actividades de motricidad fina y gruesa (por ejemplo, presentar juguetes para montar, plastilina, rompecabezas, juegos con dedos/manos/títeres/marionetas y equipo para trepar).

- Ofrece ayuda individual, aprendiendo cómo los niños enfocan y responden a desafíos físicos.

- Motiva a los niños a practicar y refinar sus habilidades.

- Respalda y motiva a los niños, pero no fuerza, a los niños que tienen miedo de la actividad física.

- Brinda desafíos que ayudan al niño a progresar sin sentirse frustrado.

- Evita sobreproteger a los niños con necesidades especiales, apoya su funcionamiento independiente y los incluye en actividades físicas con otros niños (haciendo modificaciones sólo cuando es necesario).

Área Funcional 5: Cognoscitivo

El Candidato utiliza una variedad de experiencias de aprendizaje y estrategias de enseñanza apropiadas al nivel de desarrollo de los niños para promover la curiosidad, el razonamiento, la resolución de problemas y para sentar las bases para todo aprendizaje posterior. El Candidato implementa el plan de estudios que promueve el aprendizaje de los niños de importante metas de contenido, tales como matemáticas, tecnología, estudios sociales, ciencias y otras.

Ítem 5.1 Las actividades fomentan la curiosidad, la exploración y el descubrimiento.

Indicador:

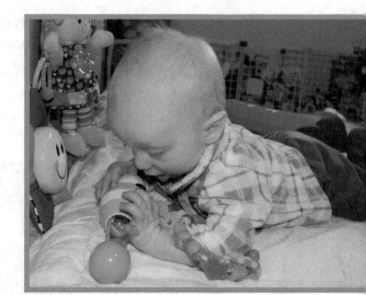

a) **Las actividades comprenden experiencias prácticas apropiadas al desarrollo del niño.**

Ejemplos

- Los bebés tienen muchas experiencias para mover, esconder y cambiar objetos.

- Se brinda a los bebés móviles y toddlers un tiempo para el juego activo y la exploración.

- Los niños aprenden mediante experiencias activas.

- Las actividades de participación son significativas para los intereses de los niños.

- Las actividades despiertan la curiosidad natural de los niños.

- Las experiencias brindadas reflejan variedad de grupos culturales de los niños.

 Los Candidatos que buscan una Especialización Bilingüe también deben mostrar evidencia de lo siguiente::

- Ofrece experiencias de aprendizaje que conducen a la comprensión de conceptos básicos en el lenguaje de más familiaridad para cada niño.

5.2 Los materiales y equipo estimulan el pensamiento y la resolución de problemas de los niños.

a) **Los materiales y equipo ofrecen una variedad de oportunidades para el desarrollo cognoscitivo.**

Ejemplos

- Se brinda equipo y materiales que los niños puedan explorar y dominar por sí mismos.

- Se brinda a los bebés una variedad de objetos para inspeccionar y manipular.

- Se ofrecen rompecabezas, libros, juguetes manipulativos, juegos de agua/arena para los toddlers.

- Los bloques son apropiados para el desarrollo y son variados.

- Los materiales y equipo son modificados para los niños de manera individual, cuando es necesario.

b) Los materiales elegidos son significativos para los niños.

Ejemplos

- Los materiales reflejan los intereses expresados por los niños.

- Los materiales se basan en el interés amplio que tienen los niños sobre el mundo natural y los seres vivos.

- Los materiales reflejan los grupos culturales e idiomas de los niños.

5.3 Candidate's interactions promote children's thinking and problem solving.

a) Facilita el pensamiento y las habilidades de resolución creativa de problemas de los niños.

Ejemplos

- Escucha a los niños y los motiva a pensar/hablar sobre lo que ven, escuchan, huelen, prueban y tocan.

- Modela la curiosidad, conocimiento e investigación para los niños.

- Estimula el aprendizaje de los bebés a través de la imitación de los demás.

- Ayuda a los toddlers a notar causa y efecto al decir declaraciones y/o preguntas como "si esto sucede, entonces pasará lo siguiente".

- Motiva a los toddlers a preguntarse a sí mismos, adivinar y hablar sobre sus ideas.

- Utiliza rutinas como la hora de las comidas y meriendas, la hora de ordenar, lavarse las manos, de vestirse para ir afuera o la hora de descansar como oportunidades de aprendizaje y para que los niños practiquen las habilidades recientemente adquiridas.

- Ayuda a los toddlers a descubrir formas de resolver problemas que surgen en las actividades diarias (por ejemplo, cómo ponerse una chaqueta, cómo caminar de forma segura en el vecindario, etc.).

- Fomenta el aprendizaje activo con los toddlers, en lugar de enfatizar que ellos escuchen pasivamente a los adultos.

5.4 Las interacciones del Candidato se basan intencionalmente sobre el conocimiento previo de los niños.

a) Conecta los conceptos con las experiencias previas de los niños.

Ejemplos

- Escucha al bebé, imitando sonidos y expresiones, motivando un "diálogo de a dos".

- Edifica y amplia el conocimiento de los niños y la comprensión que ellos tienen sobre su mundo.

- Escucha a los niños y expande de manera intencional sus ideas cuando es apropiado

b) Respalda la repetición de los niños de cosas o hechos familiares.

Ejemplos

- Apoya el deseo de los niños de repetir las tareas o actividades que son familiares para ellos.

- Con regularidad relee libros populares/solicitados con frecuencia.

- Proporciona materiales para que los niños puedan repetir y practicar por ellos mismos.

Área Funcional 6: Comunicación

El Candidato utiliza una variedad de experiencias de aprendizaje y estrategias de enseñanza apropiadas al nivel de desarrollo de los niños para promover su lenguaje y el aprendizaje inicial de la lecto-escritura y para ayudarlos a comunicar sus ideas y sentimientos de manera verbal y no verbal. El Candidato ayuda a los niños aprendices de dos idiomas a progresar en la comprensión y en la expresión oral, tanto en el idioma español/inglés como en su lengua materna.

Ítem 6.1 Los materiales fomentan la lecto-escritura infantil.

Indicador:

a) **Se brindan materiales de literatura/narración de cuentos/y para elaborar libritos.**

Ejemplos

- Los libros se muestran de manera atractiva en estantes abiertos o en compartimientos accesibles para los bebés, en buena condición.

- Están disponibles materiales para que los bebés/ toddlers hagan libritos sencillos a mano (como bolsitas Ziploc, hilo, cartulina, tela, etc.).

- Las oportunidades para las expresiones verbales se brindan mediante títeres/marionetas, muñecas, juegos de simulación o imaginación con ropa/materiales, tableros con franelas (franelógrafos), etc.

- Se proporciona las grabaciones favoritas de libros/historias para que los niños escuchen (si es posible, los padres se graban a sí mismos contando las historias favoritas y cantando las canciones que a los niños les agrada).

b) **Los libros apropiados al nivel de desarrollo de los niños están disponibles.**

Ejemplos

- Cartulina, vinilo, libros de tela, libros con texturas, patrones, etc. son accesibles.

- Una variedad de libros está disponible, incluyendo libros de ficción, información, libros relacionados a los intereses de los niños, libros que reflejan los diferentes grupos culturales y estructuras familiares de los niños, libros que muestran los roles no tradicionales de género, libros táctiles, libros de rimas, libros con texto predecible, libros sin textos o palabras, etc.

- También se incluyen los libros hechos a mano con fotos de las familias, mascotas, amigos, etc. de los niños.

- Los libros en el salón de clases reflejan los grupos culturales, lenguas maternas e identidades de los niños.

Los Candidatos que buscan una Especialización Bilingüe también deben mostrar evidencia de lo siguiente:

- Selecciona libros y otros materiales apropiados en ambos idiomas.

6.2 Las actividades fomentan el desarrollo del lenguaje.

a) Se lee a los niños todos los días.

Ejemplos

- Se lee frecuentemente a los grupos pequeños (de 4 a 6 toddlers), permitiendo una participación individual mayor, usando textos más complejos y entablando conversaciones sobre el libro.

- Se lee a los niños libros en varios idiomas y en diferentes momentos, pero no inmediatamente después de la versión en inglés.

b) Las actividades mejoran el desarrollo de la adquisición de lenguaje y las destrezas de escritura.

Ejemplos

- Las "conversaciones" con los bebés se presentan de manera regular a través de conversaciones a uno mismo y conversaciones paralelas, describiendo las acciones del Candidato y/o del niño a medida que ocurran o están a punto de ocurrir (por ejemplo, "este trapito para limpiar está un poquito frío, ¿estás listo?" o "Ahora te voy a cargar y te voy a llevar al cambiador de pañales").

- Las conductas de escribir y leer son modeladas diariamente como parte de las actividades regulares del salón de clases.

- Las actividades incluyen actividades intercurriculares como juegos con los dedos, juegos, libros, canciones usadas para contar historias, poemas cortos que los niños disfrutan, narrar historias sin libros, dictar historias, etc.

- Las actividades estimulan a los niños a desarrollar habilidades de escucha y comprensión (como narrar historias sobre sucesos que ocurrieron en la vida de los niños, por ejemplo, "¿Recuerdan cuando caminamos por el jardín?").

- Los toddlers tienen tiempo para seleccionar sus propios libros y verlos solos o con un amigo o amigos.

- Se brinda oportunidades para que los toddlers utilicen lápices de color/crayones, marcadores o pinceles para ayudar a desarrollar el control de la motricidad fina.

- Cuando los niños aprendices de dos idiomas están presentes, las actividades ayudan a los niños a comprender y utilizar el idioma inglés al ir desarrollando de manera simultánea su lengua materna.

c) Las actividades fomentan con frecuencia oportunidades para que los niños escuchen, hablen y expresen sus ideas de manera eficaz.

Ejemplos

- Los sonidos y gestos de los bebés son repetidos por el Candidato.

- Los toddlers son motivados a notar e imitar los sonidos de su ambiente.

- Se insta a los toddlers a escuchar diferentes sonidos en el ambiente (como "¿Puedes escuchar al viento soplando las hojas en el patio?").

- Las actividades motivan a los toddlers a nombrar objetos y hablar sobre sus experiencias y observaciones.

- Las actividades permiten a los toddlers representar sus ideas de manera no-verbal (por ejemplo, pintando, dibujando, creando música, realizando dramatización de juegos, jugando con títeres/marionetas, bailando y realizando movimiento creativo).

- Se incentiva a los toddlers a tomar turnos para hablar y escuchar, en lugar de interrumpirse entre ellos o interrumpir a los adultos, asegurándose de que cada niño tenga la oportunidad de hablar.

 Los Candidatos que buscan una Especialización Bilingüe también deben mostrar evidencia de lo siguiente:

- Los niños tienen oportunidades de expresarse en el idioma de su elección.

d) Las actividades respaldan las necesidades de los niños aprendices de dos idiomas
(cuando sea aplicable – ver págs. 109-115 para ejemplos más amplios)

Ejemplos

- Muchas experiencias apropiadas ayudan a los niños a ganar una comprensión receptiva del nuevo idioma — específicamente, escuchar los sonidos del nuevo idioma y conectarlos con las personas, objetos y experiencias.

- Las experiencias motivan y ayudan a los niños a practicar los sonidos y palabras del nuevo idioma, tomando en cuenta las etapas y patrones de la lengua materna y de la adquisición del idioma inglés.

6.3 El Candidato lee a los niños de un modo que es apropiado a su nivel de desarrollo.

a) Lee a los niños de una manera dinámica y activa.

Ejemplos

- Elige libros cortos con ilustraciones para leer con los bebés.

- Apoya y levanta los libros para que los bebés los puedan ver.

- Los bebés y toddlers pueden acariciar, tocar, señalar y nombrar las ilustraciones de los libros.

- Sostiene los libros para que así todos los niños puedan ver las ilustraciones durante la lectura.

- Mantiene la atención de los niños al tener contacto visual con ellos, hablar claramente, hacer coincidir el ritmo con la historia del libro, realizar "dramatizaciones/representaciones" con el libro utilizando las voces de los personajes, movimientos con las manos/cuerpo, expresiones faciales, etc.

6.4 Las interacciones del Candidato promueven las habilidades comunicativas de los niños.

a) Fomenta el desarrollo del lenguaje de los niños mediante su comunicación verbal y no-verbal.

Ejemplos

- Tiene expectativas realistas para la comprensión de cada niño y utiliza el discurso basándose en conocimiento del desarrollo del lenguaje y del niño de manera individual.

- Lee y canta a los bebés.

- Nombra objetos para los bebés.

- Utiliza gestos para demostrar el significado de las palabras para los bebés.

- Utiliza las rutinas diarias (como cambiar pañales y alimentar) como oportunidades para hablar con los bebés y escucharlos.

- Responde al llanto de los niños como una forma de comunicación.

- Conversa con los niños sobre sus experiencias y vidas hogareñas.

- No domina las conversaciones, habla solo mientras los niños están interesados.

- Toma turnos cuando habla con el niño. Habla con el niño, no al niño.

- Construye sobre las frases cortas de los toddlers para ayudarlos a expresar su significado deseado ("¿Leche? ¿Deseas más leche?").

- Modela un discurso gramatical estándar.

- Modela y estimula la creatividad de los niños en el lenguaje, por ejemplo, mediante rimas, historias imaginativas y palabras sin sentido.

- Utiliza tonos variados, para llamar la atención, afectivos y lúdicos cuando es apropiado.

- Se comunica con ojos y voz, atención e interés hacia un niño que está explorando, a una distancia del educador.

- Lee y canta a los toddlers con frecuencia, tanto de forma individual como en grupos de 2 o 3 manteniendo el contacto físico de cerca.

- Muestra deleite con los sonidos/palabras/gestos que hacen los niños.

 Los Candidatos que buscan una Especialización Bilingüe también deben mostrar evidencia de lo siguiente:

- Demuestra capacidad para comprender, hablar, leer y escribir en ambos idiomas.

- Ayuda a los niños a sentirse bien como oradores/hablantes de cada lengua.

- Apoya el intento del niño de querer usar cualquier idioma.

b) Interactúa con los niños, escuchando y respondiendo de manera adecuada.

Ejemplos

- Imita los sonidos de arrullo y balbuceos, haciendo contacto visual, estimulando una "conversación" dirigida por el bebé.

- Responde a las señales corporales del bebé y a las señales no-verbales que muestren incomodidad, emoción, placer, etc. y describe verbalmente la experiencia del bebé.

- Escucha atentamente el llanto de un bebé y responde de manera rápida y apropiada: permite que el bebé llore brevemente antes de irse a dormir, calma al bebé que se siente angustiado, y alimenta al bebé que tiene hambre.

- Reconoce y responde a las indicaciones emocionales, gestos sociales y sonidos de los bebés, respondiendo de manera apropiada

- Habla con cada niño frecuentemente sobre su familia — dónde están, cúando volverán y lo que harán juntos.

- Escucha atentamente a los niños, trata de comprender lo que ellos desean comunicar y los ayuda a expresarse.

- Escucha a los toddlers con respeto, dándoles suficiente tiempo para responder a una pregunta o comentario.

- Acepta la gramática de los niños sin corregirla.

c) **Apoya las necesidades de los niños aprendices de dos idiomas** (cuando sea aplicable – ver págs. 109-115 para ejemplos más amplio)

- Is knowledgeable about and respectful of each child's family, cultural groups and home languages

- Establishes responsive and accepting relationships to help children feel confident to engage in receptive and verbal communication in either language (home language or new language)

6.5 El Candidato fomenta el desarrollo del vocabulario de los niños.

a) **Fomenta, de manera intencional, oportunidades para que los niños aprendan nuevas palabras.**

Ejemplos

- Etiqueta o nombra objetos y sucesos para ayudar a los niños a aprender nuevas palabras.

- Utiliza una "conversación paralela" para facilitar el aprendizaje de los bebés (por ejemplo, habla con los bebés, describiendo lo que ellos sienten, escuchan, tocan, huelen, ven o para referirse a causa y efecto dicen "Cuando empujas la pelota, la pelota rueda").

- Nombra y habla sobre los sentimientos, ropa, partes del cuerpo, etc. de los bebés.

- Explica palabras, utiliza sinónimos y antónimos.

- Ayuda a los bebés y toddlers a conectar el significado(s) de la palabras con experiencias y objetos reales (por ejemplo, reconoce el llanto del bebé y le dice "Vamos a cambiar tu pañal," tocando su pañal para reforzar el mensaje y el término "pañal").

- Mira y habla con entusiasmo con los toddlers sobre los libros con ilustraciones.

 Los Candidatos que buscan una Especialización Bilingüe también deben mostrar evidencia de lo siguiente:

- Brinda oportunidades a todos los niños para adquirir una segunda lengua.

- Ayuda a los niños a asociar los significados de las palabras en ambos idiomas con objetos y experiencias familiares o conocidas.

- Toma un rol activo en etiquetar las acciones y ambientes de los niños en su lengua materna, incentivando a los niños a que usen estas palabras.

b) Presenta, de manera regular, un vocabulario más avanzado para los niños.

Ejemplos

- Nombra y habla sobre los sentimientos, conductas, actividades, ropa, partes del cuerpo e los bebés, introduciendo nuevas palabras cuando es posible.

- Con regularidad, introduce un vocabulario más complejo en las conversaciones con toddlers (por ejemplo, en lugar de describir una torre de bloques como "grande", dice, "Esa torre es gigantesca, ¡es realmente grande!").

- Responde al discurso de los toddlers con expansiones y preguntas, introduciendo y explicando nuevas palabras.

- No corrige los errores gramaticales de habla de los toddlers. En lugar de eso, lo dice nuevamente pero de manera correcta. (Por ejemplo, un toddler puede decir, "Tengo dos pieces" y luego el maestro responde, "Sí, tienes dos pies y necesitas dos medias.").

Área Funcional 7: Creatividad

El Candidato utiliza una variedad de experiencias de aprendizaje y estrategias de enseñanza apropiadas al nivel de desarrollo de los niños para que exploren la música, el movimiento y las artes visuales, y para desarrollar y expresar sus capacidades creativas e individuales.

Ítem 7.1 Las actividades y materiales estimulan a que los niños se expresen mediante las artes visuales.

Indicador:

a) Los materiales de arte y las actividades artísticas están disponibles a los niños todos los días.

Ejemplos

- Los materiales para colorear/dibujar de uso múltiple y de imaginación ilimitada están disponibles en lugar de libros/hojas para colorear.

- Las actividades que se enfocan en los procesos son ofrecidas, en lugar de las actividades que pretenden solamente crear ciertos productos.

- Se brinda a los bebés y toddlers hojas grandes de papel, crayones gruesos, marcadores gruesos de acuarela u otros materiales/herramientas creativas.

- Se ofrece a los toddlers muchos papeles de colores para manualidades, marcadores de acuarela, tijeras seguras, goma, goma en barra, sellos, témpera/pinturas de acuarela, materiales de collage, plastilina o arcilla, tiza, pinturas, una variedad de papeles, brochas u otros materiales/herramientas de arte.

- Las actividades, materiales y técnicas artísticas se ofrecen para reflejar los grupos culturales de la comunidad del salón de clases.

7.2 Las actividades y materiales fomentan el baile, movimiento y desarrollo de las habilidades musicales de los niños.

a) Los materiales y actividades musicales y de baile/movimiento están diariamente disponibles para los niños.

Ejemplos

- Los bebés son cargados por el Candidato mientras ellos "bailan" juntos.

- Los bebés móviles y toddlers juegan con sus dedos, cantan, bailan y se mueven de manera creativa.

- Los toddlers y el Candidato crean canciones y música juntos.

- Los toddlers juegan con juegos acompañados de música/instrumentos musicales.

- Con regularidad, los niños escuchan una variedad de formas y estilos musicales.

- Se ofrecen actividades a los niños para que exploren el ritmo.

- Los materiales que se brindan o los juegos organizados incluyen juguetes con sonidos musicales, listones, bufandas e instrumentos musicales (como tambores, campanas, triángulos, bloques de madera y panderetas).

- Las actividades musicales y de baile se ofrecen de tal manera que reflejan los grupos culturales de la comunidad del salón de clases.

7.3 Las actividades y los materiales proporcionados estimulan el desarrollo de la imaginación de los niños.

a) Los materiales y actividades de juego dramático están disponibles diariamente para los niños.

Ejemplos

- Una variedad de ropa para disfrazarse está disponible para los toddlers (ropa para un género específico y para ambos géneros, uniformes, disfraces, etc.).

- Una variedad de accesorios para juego dramático (como muñecas, cobijas, espejos, carteras, teléfonos, maletines, una casa de muñecas, figuras pequeñas de personas/animales, títeres/marionetas, escenario para títeres/marionetas, etc.).

- Se ofrecen actividades y materiales de juego dramático que reflejan los grupos culturales de la comunidad del salón de clases.

7.4 El Candidato fomenta la expresión y creatividad de manera individual.

a) Estimula la expresión creativa e individual en las actividades de los niños.

Ejemplos

- Está alerta y responde a las iniciativas de los bebés para jugar, moverse y utilizar materiales, introduciendo gradualmente nuevas cosas para ser combinadas y usadas en formas que los bebés puedan inventar, por ejemplo, piezas de tela de diferentes colores y texturas, instrumentos rítmicos u objetos que hacen ruidos diferentes, variados envases vacíos de alimentos.

- En las artes visuales, los "garabatos" de los niños son valorados, no se espera que sus obras de arte sean como las de los demás.

- En la música y el baile, los niños son motivados a moverse a su manera, a hacer su propia música y canciones.

- En el juego dramático, motiva a los niños a elegir realizar la actividad a su manera.

- Participa en el juego dramático para dirigirlo si es que los toddlers presentan alguna dificultad, o lo prolonga (como por ejemplo, ingresando al juego sobre el restaurante y pretender ser un cliente "¿Podría ver el menú, por favor? Me gustaría ordenar la cena").

- Modela creatividad (por ejemplo, muestra sus propias obras de arte, lee a los niños un poema que escribió o toca la guitarra con los niños).

- Se mantiene informado sobre los recursos culturales de la comunidad y los utiliza con los niños cuando es posible.

 Los Candidatos que buscan una Especialización Bilingüe también deben mostrar evidencia de lo siguiente:

- Ayuda a que los niños se expresen de manera creativa mediante actividades en ambos idiomas.

b) Facilita experiencias creativas dirigidas a los niños y enfocadas en el proceso de la actividad.

Ejemplos

- Planifica actividades que no estén diseñadas para tener productos terminados idénticos.

- Permite a los toddlers crear un arte abstracto, no espera que los niños siempre creen productos figurativos o representativos.

- No presenta un modelo para un producto terminado.

- Introduce gradualmente diferentes materiales de arte, dando tiempo a los niños para que los exploren a su manera, mostrando interés en su proceso.

- Motiva a los niños a explorar texturas, colores y las experiencias sensoriales de materiales.

- Ofrece la opción de registrar las descripciones de los niños sobre sus trabajos.

- En el juego dramático, sigue la iniciativa del toddler, cuidando de no sobre estimularlo o asustarlo.

- Acepta/motiva el uso flexible de materiales cuando es posible (como permitir a los niños llevar juguetes de un área a otra o pintar con una pluma sobre un caballete).

Norma de Competencia III:

Apoyar el desarrollo social y emocional y brindar una guía positiva.

Contexto de Desarrollo

Concepto de Sí Mismo:

Bebés pequeños *(desde el nacimiento hasta los 8 meses)*, durante las primeras semanas y meses de vida empiezan a desarrollar un sentido de auto confianza y seguridad en un ambiente en donde ellos puedan confiar en que un adulto cuidará de sus necesidades de manera afectuosa. Los bebés sólo están iniciándose en su habilidad para regular su temperatura y reconocer señales de incomodidad como tener hambre o frío. Un adulto que cuida a un bebé le brinda un gran apoyo para futuras habilidades de auto regulación al estar constantemente disponible. El adulto alimenta al niño cuando éste tiene hambre, le brinda calor y lo hace sentir cómodo, lo calma cuando está angustiado, y le ofrece oportunidades de aprendizaje al ofrecerle cosas interesantes para ver, probar, oler, sentir, escuchar y tocar.

Bebés móviles *(de 9 a 17 meses)*, un educador amoroso es un recurso o "la base-hogar" que está fácilmente disponible y ofrece comodidad física afectuosa y un ambiente seguro para explorar y dominar. Esta estabilidad emocional es esencial para el desarrollo de la confianza en sí mismo, así como lo es el desarrollo del lenguaje, físico, cognoscitivo y social.

Toddlers *(de 18 a 36 meses)*, desarrollan el sentido de sí mismos y los sentimientos de independencia crecen al mismo tiempo que se dan cuenta de la importancia de los padres y de otros educadores. El mundo interior de los toddlers está lleno de sentimientos e ideas conflictivos — independencia y dependencia, confianza y duda, temor y curiosidad, hostilidad y amor, enojo y ternura, agresión y pasividad. Comprender la gran variedad de sentimientos de los toddlers y cómo éstos se pueden expresar puede ayudar a apoyar la habilidad del adulto para brindar un ambiente tranquilo y emocionalmente seguro.

Social:

Bebés pequeños *(desde el nacimiento hasta los 8 meses)* ingresan al mundo con una capacidad inmensa y necesidad por contacto social. Sin embargo, cada bebé tiene su propio estilo y disposición para interactuar y para afrontar diferentes tipos de interacciones. Los bebés necesitan una interacción social protectora y agradable con algunos educadores que sean constantes y cariñosos y que los lleguen a conocer como individuos. Cuando los adultos responden a las indicaciones y señales de los bebés modelan interacciones sociales. Es a través de estas experiencias tempranas que los bebés aprenden a leer y responder apropiadamente a las señales e indicaciones de otros.

Bebés móviles *(de 9 a 17 meses)* son curiosos acerca de los otros pero necesitan asistencia y supervisión al interactuar con otros niños. Aún necesitan a un adulto (o algunos) como su compañero social más importante y como puente para crear compañeros sociales adicionales.

Norma de Competencia III (continuación)

Toddlers *(de 18 a 36 meses)* su conciencia social es mucho más compleja que la de los niños más pequeños. Los toddlers pueden empezar a comprender que los otros también tienen sentimientos — a veces similares y otras veces diferentes a ellos. Imitan mucho de las conductas sociales de otros niños y adultos. A medida que los toddlers se interesan más y más en otros niños, los adultos deben guiar y apoyar sus interacciones, reconociendo que ellos aún continúan apoyándose en los adultos para su estabilidad emocional.

Guía:

Bebés pequeños *(desde el nacimiento hasta los 8 meses)* empiezan a adaptar sus ritmos de comer y dormir a las expectativas de su ambiente social mediante la guía tierna de educadores sensibles que satisfacen sus necesidades. La confianza básica de los bebés en los adultos y en su ambiente que se establece en esta época afecta directamente las respuestas del niño a la futura guía positiva y promueve el desarrollo de la autorregulación.

Bebés móviles *(de 9 a 17 meses)* desean hacer todo pero tienen poca comprensión de lo que es permitido no pueden recordar reglas. Los adultos pueden organizar el ambiente de modo que defina claramente los límites y minimice los conflictos. Respetando los experimentos del niño al decir "no", también pueden reforzar la interacción social positiva (por ejemplo, abrazarse) y desanimar las conductas negativas (por ejemplo, morder).

Toddlers *(de 18 a 36 meses)* se mueven a través de etapas y dependencia extrema e independencia mientras ganan nuevas destrezas y conciencia. Ellos necesitan un educador comprensivo que se mantenga calmado y dé apoyo durante su lucha por volverse independientes. Los adultos deben ser ingeniosos al reconocer y estimular la conducta auto-regulatoria al establecer límites constantes y claros.

Área Funcional 8: Concepto de Sí Mismo

El Candidato desarrolla una relación afectuosa, positiva, de apoyo y receptiva con cada niño, y ayuda a cada niño a aprender y a sentirse orgulloso de su propia identidad individual y cultural.

Ítem 8.1 El ambiente de los niños respalda el desarrollo de conceptos positivos de sí mismos.

Indicador:

a) **Los espacios y las actividades ayudan a cada niño a desarrollar un sentido de auto identidad/valor.**

Ejemplos

- Los espacios están organizados de tal forma que los bebés y toddlers pueden practicar habilidades de auto ayuda.

- Los toddlers tienen espacios para almacenar sus propias cosas (como compartimientos o cubículos/ganchos o colgadores/cajones o recipientes etiquetados con los nombre y/ fotos de los niños).

- Los libros, ilustraciones, historias y conversaciones de los toddlers ayudan a los niños a identificarse con los sucesos y experiencias de sus vidas (por ejemplo, familias con padres solteros, parientes lejanos, familias del mismo sexo, adopción, familias adoptivas temporales o sustitutas, divorcio, mudanza, nacimiento de hermanos o muerte de miembros de la familia o de mascotas queridas).

- Las fotos de los niños y de sus familias se muestran por todas partes.

- Los trabajos y los nombres de los niños se muestran de manera respetuosa.

- Los espejos están colgados al nivel de los ojos de los niños.

- Apoya el desarrollo de conciencia de cada niño como miembro de una familia y de un grupo étnico o social a través de conversaciones sobre las familias (utilizando fotografías, espejos u otros objetos apropiados) y al celebrar importantes eventos culturales con los niños.

- A todos los niños, incluyendo aquéllos con necesidades especiales, se les brinda actividades que los respalden en el sentimiento afectivo y experimentando éxito.

b) Los materiales elegidos ofrecen oportunidades a los niños para que experimenten el éxito.

Ejemplos

- Los materiales seleccionados ofrecen desafíos apropiados para el desarrollo que cada niño puede sobrellevar.

- Con el tiempo, los materiales se cambian para brindar desafíos mayores a medida que los niños se desarrollan.

- Los materiales son modificados para que así todos los niños, incluyendo los que presentan necesidades especiales, puedan experimentar el éxito.

8.2 Las interacciones del Candidato ayudan a que los niños desarrollen conceptos de sí mismo.

a) Respeta la individualidad de cada niño.

Ejemplos

- Sabe y utiliza el nombre preferido de cada niño.

- Crea una relación personal con cada bebé, conociendo el tipo de abrazos, caricias, habla y juegos que brindan comodidad y sentimientos positivos a cada bebé.

- Motiva a cada bebé a agarrar un objeto de su elección.

- Para los bebés móviles, reconoce los periodos típicos de desarrollo cuando el niño tiene dificultad al separarse de los miembros de su familia o cuando tiene temor de los adultos desconocidos, apoyando así al niño y a la familia.

- Utiliza rutinas diarias para brindar atención individual a cada niño.

- Reconoce y respeta los límites físicos y emocionales de cada niño.

- Da atención de uno a uno a cada niño, tanto como sea posible.

- Motiva a los niños a intentar nuevas y diferentes actividades.

- Permite que cada niño trabaje a su propio ritmo y en su propio estilo.

- Motiva a los niños a elegir cualquier actividad independientemente de su tradicional asociación específica de género.

- Apoya la independencia individual de los niños con necesidades especiales, incluyéndolos en actividades físicas y sociales con otros niños (haciendo modificaciones cuando es necesario).

- Es capaz de decir algunas palabras en la lengua maternal del niño (cuando sea aplicable).

Los Candidatos que buscan una Especialización Bilingüe también deben mostrar evidencia de lo siguiente:

- Ayuda a cada niño a lidiar con factores estresantes utilizando la lengua materna del niño.

b) Muestra sensibilidad y aceptación hacia los sentimientos y necesidades de cada niño.

Ejemplos

- Habla con los bebés sobre sus sentimientos.

- No asusta a los bebés (por ejemplo, carga a los bebés de frente y no de espaldas, explicándoles lo que sucede).

- A menudo cambia la posición y ubicación de los bebés durante el día.

- Usa palabras para describir los sentimientos de los toddlers.

- Acoge a un niño que necesita sentir afecto, lo hace mediante una voz cariñosa, abrazándolo o brindándole un contacto físico apropiado.

- Responde a los sentimientos de los niños (como amor, gozo, soledad, ira o decepción) con atención compasiva/empática.

- Responde inmediata y compasivamente cuando un niño se lastima o tiene miedo de lastimarse.

- Consuela rápidamente a los niños que están molestos.

- Ayuda a los niños a comprender y expresar de manera apropiada sus propios sentimientos.

- Respeta las preferencias de los niños.

- Es paciente con cada niño.

- Se enfoca en las cualidades positivas de cada niño, en lugar de compararlos con otros.

- Ayuda a los niños en los periodos de estrés, separación, transiciones de vida y en otras crisis.

- No critica los esfuerzos de los niños.

- Comprende el efecto de maltrato y negligencia en los conceptos de sí mismo de los niños y trabaja de manera sensible con estos niños.

- Celebra las identidades culturales de los niños.

- Ayuda a los niños a reconocer, aceptar y expresar sentimientos en formas culturalmente apropiadas.

8.3 El Candidato motiva a los niños a desarrollar un sentido de independencia.

a) Fomenta las habilidades de autoayuda/autorregulación de los niños al respetar las preferencias y diferencias culturales de las familias.

Ejemplos

- Comprende y respeta las necesidades individuales de los bebés saludables para comer y dormir, y responde a los bebés de tal manera que apoye las habilidades emergentes de regulación.

- Ayuda a cada bebé a empezar a autorregularse en patrones regulares de sueño/alimentación brindando apoyo para ayudar al bebé a calmarse por sí solo.

- Hace que las rutinas como el alimentar/comer, ir al baño y vestirse sean oportunidades para que los toddlers adquieran destrezas de auto-ayuda, empiecen a regular su comportamiento y aprendan el idioma.

- Motiva a los niños a alimentarse solos cuando están listos.

- Respalda las habilidades en desarrollo de los toddlers para ir al baño.

- Ayuda a los toddlers a desarrollar habilidades de autoayuda al comer, lavarse las manos, limpiar sus propios derrames de líquidos, etc.

- Ofrece oportunidades a los toddlers para que aprendan a ayudarse a sí mismos (por ejemplo, a sacarse la chaqueta o verter la leche) y comparte el deleite de los niños en la adquisición de nuevas destrezas.

b) Se asegura de que ir al baño sea una experiencia positiva apropiada al nivel de desarrollo de los niños.

Ejemplos

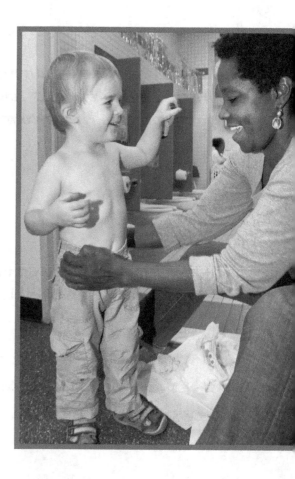

- Motiva el aprendizaje de ir al baño cuando cada niño está listo e interesado en ello.

- Incentiva a los toddlers a usar el baño por sí solos.

- Muestra a los toddlers cómo tener buenos hábitos para ir al baño (como limpiarse de manera adecuada, subir y bajar el asiento y ocuparse exactamente en el inodoro/toilet).

- No avergüenza ni apresura a los niños.

- No recompensa o castiga a los niños por comportamientos de ir al baño.

- Trabaja con los padres en la planificación del aprendizaje para ir al baño, respetando las diferentes prácticas de las familias.

c) Fomenta el sentido de autonomía cada vez mayor de cada niño.

Ejemplos

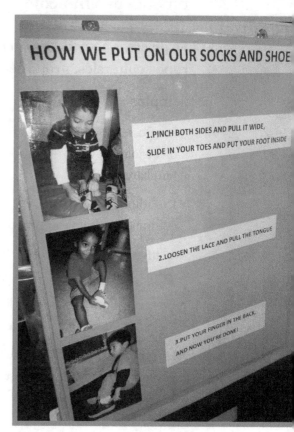

- Ofrece a los bebés más grandes bocadillos para comer con las manos.

- Motiva a los toddlers a utilizar utensilios.

- Brinda un banquito o taburete cuando es necesario para que los toddlers puedan usar el inodoro/toilet y lavarse las manos cuando sean capaces de hacerlo.

Área Funcional 9: Social

El Candidato ayuda a cada niño a desempeñarse eficazmente dentro del grupo, a aprender a expresar sus sentimientos, a adquirir destrezas sociales y hacer amigos, y fomenta el respeto mutuo entre niños y adultos.

Ítem 9.1 El ambiente del salón de clases ofrece oportunidades para que los niños experimenten la cooperación.

Indicador:

a) **Los materiales, equipo y actividades que se ofrecen ayudan a que los niños experimenten el trabajo y el juego en armonía.**

Ejemplos

- Los niños participan en grupos pequeños durante algunas actividades.

- Algunos juguetes manipulativos, materiales o equipo requieren cooperación entre los toddlers.

- Se brindan muchas copias de ítems "populares" con el fin de disminuir las peleas entre los bebés móviles y los toddlers.

9.2 Se fomenta un ambiente sin prejuicios.

a) **Las diversas actividades, materiales, planes de estudios y/o eventos reflejan múltiples grupos culturales, grupos étnicos y diferentes estructuras familiares.**

Ejemplos

- Las ilustraciones, afiches/carteles, libros y otros materiales reflejan y celebran la diversidad en grupos culturales, edades, géneros, diferentes habilidades y estructuras familiares variadas.

- Los idiomas, objetos reales, música, arte, alimentos y muchos aspectos de grupos culturales están incorporados en el plan de estudios.

- Se invita a los miembros de la comunidad local a compartir aspectos de sus vidas (como pasatiempos, cocina, talentos, vestimenta, etc.) con los toddlers.

- Los accesorios asociados con necesidades especiales y diversos grupos culturales están incluidos en todo el salón de clases.

- Los feriados/eventos se celebran de manera que reflejan las diversas familias de la comunidad del salón de clases.

Los Candidatos que buscan una Especialización Bilingüe también deben mostrar evidencia de lo siguiente:

- Utiliza objetos, actividades musicales y celebraciones que sean significativas para los niños pequeños con el fin de estimular el desarrollo de ambos idiomas y grupos culturales.

9.3 El Candidato fomenta en los niños el sentido de pertenecer a la comunidad del salón de clases.

a) Fomenta las interacciones sociales de los niños.

Ejemplos

- Toma ventaja de las oportunidades para el juego social durante la hora de los alimentos, al cambiarse, vestirse y en otras rutinas diarias.

- Ofrece oportunidades a los bebés para observar interacciones sociales entre niños mayores y entre adultos.

- Crea oportunidades para interacciones sociales entre bebés móviles/toddlers, permaneciendo disponible para proteger, consolar o facilitar, interfiriendo únicamente si es necesario.

- Facilita interacciones apropiadas para el desarrollo entre los toddlers (como reconociendo constantemente las conductas pro-sociales de los toddlers y no reaccionando de manera negativa cuando un toddler no es capaz de compartir o no puede esperar para tomar un turno).

- Reconoce cuando los bebés y toddlers actúan con afecto y compasión hacia otras personas.

- Ofrece muchas oportunidades a los toddlers para que interactúen y jueguen con entre ellos.

- Presenta e introduce a los toddlers la idea de respetar los derechos y posesiones de los demás.

- Motiva a los toddlers a compartir pero nunca los culpa si ellos aún no son capaces de hacerlo.

- Motiva los niños a consolarse y ayudarse entre ellos.

- Reconoce el cuidado o comportamientos serviciales de los niños.

- Comprende que los roles sociales y las expectativas para los niños en sus ambientes familiares pueden ser diferentes de los programas de cuidado infantil, ayudando a los niños a socializar exitosamente en ambos ambientes.

- Ayuda a los niños, incluyendo a los niños que son tímidos y agresivos, a llevarse bien con los otros.

- Garantiza la integración positiva de todos los niños, incluyendo a los que presentan necesidades especiales (cuando sea aplicable).

 Los Candidatos que buscan una Especialización Bilingüe también deben mostrar evidencia de lo siguiente:

- Comprende que los roles sociales y las expectativas para los niños bilingües en sus ambientes familiares pueden ser diferentes de los programas de cuidado infantil, ayudando a los niños a socializar exitosamente en ambos ambientes.

b) Modela interacciones sociales apropiadas.

Ejemplos

- Ofrece oportunidades a los bebés para observar interacciones sociales entre niños mayores y entre adultos.

- Modela habilidades sociales eficaces al edificar una relación positiva con cada niño, padres y otros adultos en el centro.

- Modela habilidades sociales al involucrarse en interacciones sociales con los niños (como conversando con los niños a la hora de las comidas o mientras ordena los juguetes).

- Da una bienvenida acogedora a los niños nuevos.

- Modela y enseña a los toddlers habilidades que los ayuden a aprender cómo unirse, iniciar y mantener el juego con los demás.

- Modela y motiva a los toddlers a pedir, aceptar y brindar ayuda unos a otros.

- Modela y participa en diálogos o conversaciones con los niños.

9.4 El Candidato ayuda a que los niños experimenten compasión/empatía y respeto hacia los otros.

a) Ayuda a los niños a comprender sus sentimientos y los sentimientos de los demás.

Ejemplos

- Ayuda a los niños a reconocer sus propios sentimientos y los de los demás, semejanzas y diferencias suyas y de otras personas con el fin de ayudarlos a que empiecen a aprender a ser empáticos con los demás.

- Habla con un niño sobre los sentimientos de otro niño.

- Califica los sentimientos de los niños y los sentimientos de los demás (como, "Fernando parece estar triste porque su mami se fue. ¿Recuerdan cómo se sintieron cuando sus mamis se fueron esta mañana?").

- Reconoce las respuestas empáticas en el desarrollo de los niños entre ellos mismos y los adultos.

- Motiva a que los niños expresen cómo se sienten.

- Modela empatía.

- Ayuda a los niños a ver de qué manera lo que ellos hacen afecta a los demás.

- Ayuda a los toddlers a comprender que a veces ellos deben esperar que les brinden atención debido a las necesidades de otros niños.

b) Habla sobre la diversidad de una manera cómoda al interactuar con los niños.

Ejemplos

- Utiliza las diferencias individuales de los niños como oportunidades de aprendizaje sobre las semejanzas y diferencias entre las personas.

- Comprende la exploración, curiosidades y preocupaciones de los toddlers sobre su propio cuerpo y el de los demás, respondiendo con información apropiada para su desarrollo (como explicando las diferencias físicas entre niños y niñas de una manera casual y en términos sencillos).

- Ayuda a los niños a reconocer y apreciar las semejanzas y diferencias raciales, étnicas y con respecto a las capacidades.

- Incentiva el juego y las relaciones entre todos los niños sin importar los grupos de raza, idioma, etnia, edad y género, incluyendo los niños con necesidades especiales.

- Modela un trato equitativo hacia todos los niños y las familias.

Área Funcional 10: Guía

El Candidato brinda un ambiente de apoyo y utiliza estrategias efectivas para promover la autorregulación de los niños y apoyar las conductas apropiadas; e interviene eficazmente cuando se presentan niños con conductas constantemente desafiantes.

Ítem 10.1 Los espacios y materiales están organizados de tal forma que fomentan las interacciones positivas y limitan las conductas desafiantes.

Indicador:

a) Los espacios y materiales brindados anticipan las necesidades de comportamiento y de desarrollo ta.

Ejemplos

- Se brinda un espacio amplio para los grupos de bebés móviles o toddlers para moverse y jugar en él.

- El equipo está disponibles para los niños que necesiten moverse.

- Se brindan múltiples copias de los juguetes populares para minimizar los conflictos y las esperas en los juegos.

- El mobilario está organizado de cierta manera para reducir o evitar problemas de conducta (como correr, etc.).

- Se brinda un espacios privado (pero bien supervisado) para los niños que necesiten tener un tiempo a solas.

10.2 El Candidato implementa de manera proactiva métodos para prevenir los problemas de conducta.

a) Reconoce conductas positivas.

Ejemplos

- Nota la autorregulación y conductas amables, verbales y no-verbales.

- Ignora las distracciones menores.

- Les dice a los niños lo que pueden hacer en lugar de lo que no pueden hacer.

- Comenta de manera directa, sincera y positiva a los niños sobre su desempeño e ideas.

- No utiliza stickers/etiquetas u otras recompensas.

b) Modela conductas apropiadas.

Ejemplos

- Modela el compartir, tomar turnos, esperar.

- Modela la resolución de problemas sociales (cómo resolver un conflicto con otra persona).

- Modela formas apropiadas para que los niños se comporten (como usar una voz "interior").

c) Brinda firmeza, límites y expectativas constantes.

Ejemplos

- Ayuda a los niños a comprender que se espera recibir un comportamiento amable y cooperativo.

- Da instrucciones positivas redactadas (como "Da caricias suaves" en lugar de "No pegues").

- Establece guías para la conducta de los toddlers que sean sencillas, razonables y contantes.

 Los Candidatos que buscan una Especialización Bilingüe también deben mostrar evidencia de lo siguiente:

- Usar palabras simples y claras en ambos idiomas para describir los límites y las expectativas.

d) Utiliza técnicas eficaces para dirigir el salón de clases.

Ejemplos

- Ofrece cariñosamente guía al bebé que explora y que se siente frustrado por un obstáculo, lo calma y le brinda estrategias o una actividad alternativa.

- Comprende que compartir, tomar turnos y jugar con otros es difícil para los toddlers y estimula sus intentos de usar palabras para resolver conflictos.

- Reconoce las conductas "opuestas" de los toddlers (decir "no," berrinches/rabietas, etc.) como parte del desarrollo típico.

- Se mueve alrededor de la habitación cuando los niños juegan, hablando con ellos y ayudándolos, motivando a los niños a participar.

- Es consciente de las limitaciones, temperamento, niveles de desarrollo, grupos culturales, etc. de cada niño, e individualiza la guía como corresponde.

- Explica las reglas al nivel de comprensión del niño.

- Da a los niños opciones aceptables cuando es apropiado y sigue y acepta lo que cada niño escoge (por ejemplo, "¿Deseas leer un libro conmigo o jugar en el trepador?" o "¿Comemos manzanas o plátanos hoy para la merienda?").

- Es capaz de modificar el juego cuando éste se vuelve demasiado estimulante para cualquiera de los niños, incluyendo a los niños con discapacidades o temperamentos sensibles.

- Anticipa o prevé confrontaciones entre los niños y apacigua conductas provocativas.

- Se asegura de que haya suficiente espacio en la mesa o área de juego para que los niños no estén apiñados ni apretados.

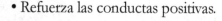

- Refuerza las conductas positivas.

- Anticipa y prevé la intensificación de confrontaciones entre niños.

- Dirige el problema de conducta o situación en lugar de poner etiquetas a los niños involucrados.

- Explica las razones para los límites en palabras sencillas, haciendo demostraciones cuando sea posible.

- Anticipa, prevé y responde a las conductas de los niños, conociendo las diferencias/tendencias individuales de cada niño de morder, pellizcar, trepar, escapar, etc.

e) **Ayuda a los niños a aprender a articular sus emociones y practicar cómo responder en situaciones desafiantes.**

Ejemplos

- Ayuda a los toddlers a aprender cómo usar palabras en lugar de acciones para resolver problemas.

- Apoya a los niños a encontrar conductas alternativas que satisfagan sus necesidades cuando se presentan conductas sociales indeseables pero esperadas en el desarrollo (como morder, pegar, escupir, etc.).

- Acepta y ayuda a los niños a aceptar sentimientos "negativos" y a encontrar formas seguras de lidiar con ellos.

- Proporciona actividades a los niños que necesitan liberar sentimientos negativos de manera pacífica, como lanzar bolas de espuma, bolsitas rellenas de frijolitos (bean bags), manipular plastilina.

10.3 El Candidato utiliza técnicas positivas al reaccionar ante las conductas desafiantes de los niños.

a) Hace énfasis en el desarrollo de la autodisciplina y autorregulación.

Ejemplos

- Utiliza recordatorios amables cuando las reglas no se siguen o se olvidan momentáneamente.

- Enseña a los toddlers alternativas positivas para las conductas socialmente inaceptables (como enseñar a un niño a "usar sus palabras" en lugar de arranchar un juguete de otro niño).

b) Maneja las conductas desafiantes de una manera constante y calmada.

Ejemplos

- Evalúa conductas desafiantes o conflictos cuando surgen, interviniendo cuando sea apropiado.

- Utiliza una gama de estrategias eficaces para individualizar la guía de cada niño.

- Responde constantemente con el tiempo a los problemas de conducta de cada niño.

- Responde rápida y calmadamente para prevenir a los niños de lastimarse entre ellos.

- Es justo y firme cuando se debe decir "no".

- Evita las luchas por poder.

- Conserva la calma y el autocontrol cuando lidia con un niño agresivo.

- Se comunica de manera eficaz con los niños cuando surgen problemas de conducta (como colocarse al nivel de los ojos de los niños, hablar en voz baja/privada, usar expresiones faciales positivas pero serias/lenguaje corporal, etc.).

c) Utiliza técnicas apropiadas para dirigir conductas negativas.

Ejemplos

- Es consciente de la parcialidad de lo que es justo, y es capaz de moderar esas creencias basadas en información desarrollada del niño (por ejemplo, un toddler le quita el juguete a un bebé, pero el bebé no reacciona y simplemente coge otro juguete- el Candidato se da cuenta de que esta acción no necesita la intervención de un adulto).

- Utiliza la redirección, ofreciendo a los niños una variedad de opciones positivas, manifestando claramente lo que los niños pueden hacer.

- Usa con firmeza el "no" sólo cuando es necesario para mantener la seguridad de los niños, moviendo al niño o al objeto peligroso, dando una explicación sencilla (por ejemplo, "No es seguro para ti trepar a la mesa. No quiero que te caigas y que te lastimes").

- Cuando se enfrenta a una rabieta o berrinche, separa al niño y se coloca cerca a él cuando éste puede lastimar o causar daño, dejando saber a los niños que "él/ella está teniendo un momento difícil y yo lo(a) estoy ayudando(a) a sentirse seguro(a)".

- No utiliza métodos negativos de disciplina (como golpear, amenazar, gritar, aislar, avergonzar o tiempos fuera/pausas obligadas).

Norma de Competencia IV:

Establecer relaciones positivas y productivas con las familias.

Contexto de Desarrollo

Familias:

Bebés pequeños *(desde el nacimiento hasta los 8 meses)* están estableciendo patrones para dormir, caminar, comer, jugar y en su actividad social. Se les puede apoyar al desarrollar estabilidad en estas rutinas mediante las respuestas sensibles y constantes de los adultos. Las familias y los educadores pueden anticipar necesidades y responder de una forma más apropiada a las señales de los bebés cuando ellos comparten detalles entre sí del bebé a la hora que lo dejan y lo recogen.

Bebés móviles *(de 9 a 17 meses)* pueden tener dificultad al separarse de sus familias, aún si el educador es un familiar y persona de confianza. Los educadores pueden apoyar a los bebés y a sus familias al reconocer que esto puede ser molestoso tanto para los adultos como para el niño, y ofrece estrategias para facilitar la separación. Los educadores deben reconocer el potencial de competencia entre ellos y los padres, y trabajar para evitarlo al recordar que los bebés pueden tener más de un adulto importante en sus vidas. Los educadores y familias también necesitan estar de acuerdo en límites razonables y seguros a medida que los niños empiezan a explorar y a andar por sus alrededores.

Toddlers *(de 18 a 36 meses)* desarrollan sus propias rutinas especiales y rituales con el fin de sentirse a salvo y seguros. Es esencial de que las familias y los educadores compartan experiencias y la comprensión de los patrones del niño, y brindar un apoyo constante y de confianza para el desarrollo del sentido de auto competencia y confianza del toddler.

Área Funcional 11: Familias

El Candidato establece una relación positiva, receptiva y de cooperación con la familia de cada niño, involucrándose en la comunicación de dos vías entre él o ella y las familias, estimula su participación en el programa y apoya la relación del niño con su familia.

Ítem 11.1 Se incluyen diversas oportunidades para apreciar y comunicarse con las familias de los niños como parte del programa regular.

Indicador:

a) **El ambiente de exhibición de los materiales muestra respeto hacia diversas comunidades, grupos culturales y familias.**

Ejemplos

- Las fotos/afiches de diferentes niños y sus familias se muestran al nivel de los ojos de los niños.

- Los libros/álbumes con ilustraciones de los niños, de sus familias y sus comunidades son accesibles a los niños.

 Los Candidatos que buscan una Especialización Bilingüe también deben mostrar evidencia de lo siguiente:

- El ambiente comunica claramente a las familias que su lengua materna se valora y respeta.

b) **Se fomentan oportunidades para comunicarse con las familias y distribuirles información.**

Ejemplos

- Los padres de los bebés reciben informes diarios sobre la alimentación, sueño y cambio de pañales de sus hijos.

- El Consejo Familiar se asegura de que las familias tengan acceso a una información actual sobre el programa.

- Cada niño/familia tiene un contenedor designado para el "correo" del salón de clases o programa, obras de arte, muestras de escritura, etc. (como bolsas pequeñas, fólderes, compartimientos).

- Las comunicaciones regulares (diaria o semanalmente) son enviadas para que brinden a las familias información sobre los actuales/próximos eventos, necesidades del salón de clases, etc. (como boletines informativos, blogs, correos electrónicos, textos o mediante una página web actualizada con regularidad).

11.2 El Candidato aprecia el valor único de cada familia.

a) Acoge y respeta a cada familia.

Ejemplos

- Sabe los nombres de la familia y los saluda por nombre.

- Utiliza de manera apropiada información sobre la familia de cada niño en conversaciones, actividades del programa, conferencias y a través del plan de estudios.

- Reconoce que los padres y la familia son las personas más importantes en la vida de los niños, asegurándose de no crear nunca un sentido de competencia.

- Acoge e incentiva a los miembros de la familia a visitarlos durante el día.

- Ayuda a los padres en las separaciones con su hijo, reconociendo las posibles preocupaciones de los padres sobre dejar a su hijo.

- Invita a las familias a participar de las actividades del programa.

- Respeta y acepta la dieta de cada familia, vestimenta u otras preferencias para sus hijos.

- Respeta las opiniones de las familias cuando éstas son diferentes a las metas o políticas del programa, e intenta resolver las diferencias.

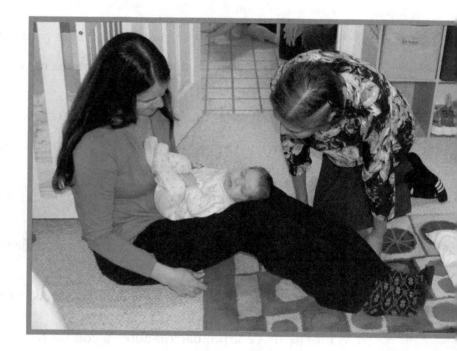

- Reconoce que los principales educadores de los niños pueden ser madres o padres solteros, dos padres del mismo o diferente sexo, padrastros, abuelos, tíos, tías, hermanos, hermanas, padres adoptivos temporales o sustitutos, o tutores.

- Respeta los orígenes culturales, creencias religiosas y las prácticas de crianza de las familias, negociando abiertamente cualquier área de incomodidad o preocupación.

Los Candidatos que buscan una Especialización Bilingüe también deben mostrar evidencia de lo siguiente:

- Saluda a los visitantes usando los saludos en ambos idiomas.

11.3 El Candidato trabaja junto con las familias para respaldar las necesidades de sus niños.

a) **Trabaja en conjunto con cada familia.**

Ejemplos

- Trabaja con las familias para comprender el significado de los llantos del bebé y responde de manera sensible a ello.

- Coordina con la familia las planificaciones sobre el aprendizaje de ir al baño y comunica con frecuencia el progreso del niño.

- Motiva a las familias a compartir sus opiniones sobre la crianza, guía y autorregulación.

- Edifica una relación de confianza con los niños y sus familias.

- Ayuda a las familias a comprender el temperamento del niño, brindando y solicitando más ideas y sugerencias para respaldar esto.

- Apoya y motiva a las familias a convertirse en observadores de sus hijos.

- Ayuda a las familias a lidiar y planificar transiciones de apoyo dentro y fuera del programa, así como de habitación en habitación.

- Da a las familias un rol integral estableciendo metas para el aprendizaje y desarrollo de sus hijos.

- Motiva y ayuda a los padres a comunicarse con confianza sobre sus hijos con agencias/organismos de la comunidad y del estado.

- Colabora con las familias para planificar eventos del programa y temas para analizar.

b) **Mantiene una comunicación abierta con las familias.**

Ejemplos

- Se comunica con frecuencia con los padres sobre la salud, nutrición, enfermedades transmisibles y medicamentos de los niños.

- Envía a casa observaciones y explicaciones por escrito de lo que los niños aprendieron, experimentaron y lograron.

- Motiva a las familias a compartir observaciones, anécdotas y perspectivas sobre sus hijos.

- Es capaz de analizar con las familias los desafíos de aprendizaje o problemas de conducta de los niños, de una manera constructiva y de apoyo.

- Comparte con los niños su deleite en las nuevas habilidades de cada niño.

- Comparte con los padres los logros de los niños (como comunicación/idioma, físico, social, cognoscitivo, etc.).

- Conversa con las familias sobre problemas de conductas de una manera constructiva, de apoyo y basándose en las fortalezas.

- Con regularidad realiza conferencias en las que los maestros y familias pueden compartir información sobre el progreso de los niños en casa y dentro del programa.

- Dirige visitas al hogar, o si los padres lo prefieren, se reúne con ellos de manera privada en un ambiente cómodo (como en una biblioteca o en un centro de la comunidad local).

- Muestra interés sincero en lo que comparten las familias, y con regularidad intercambia información con los padres sobre la vida del niño en casa y en el centro, incluyendo rutinas y cambios en el cuidado, actividades favoritas, próximas expectativas de desarrollo, etc.

- Brinda una comunicación oral y escrita con los padres en el idioma de preferencia de ellos.

- Respeta el idioma de las familias que no hablan inglés, motivándolas a comunicarse libremente con sus hijos en su idioma de preferencia y ayudándolas a encontrar oportunidades para aprender inglés.

- Tiene cuidado de no opacar el deseo natural de los padres de ser los únicos que descubren los primeros pasos importantes de sus hijos (por ejemplo, si un niño da su primer paso, elCandidato le dice a los padres que el niño "trató de caminar hoy").

Los Candidatos que buscan una Especialización Bilingüe también deben mostrar evidencia de lo siguiente:

- Con regularidad se comunica de manera oral y escrita con los padres y los niños en el idioma de preferencia de ellos.

- Brinda información escrita para las familias en ambos idiomas (como boletines del salón de clases, avisos sobre inmunizaciones, políticas del programa, avisos de próximos eventos, etc.).

11.4 El Candidato ayuda a las familias a comprender y apoyar el crecimiento saludable y desarrollo de sus hijos.

a) Proporciona información y oportunidades para ayudar a las familias a satisfacer las necesidades de desarrollo de sus hijos.

Ejemplos

- Habla con los padres sobre el significado de los inicios de comunicación de un bebé (por ejemplo, los diferentes tipos de llanto).

- Responde con interés e información a las preocupaciones de las familias con respecto a dormir, caminar, alimentarse, u otros temas relacionados a las necesidades del bebé y a su desarrollo.

- Comparte información con las familias concerniente a la nutrición, incluyendo la edad apropiada para el destete y la introducción de alimentos sólidos, respetando siempre las diferentes prácticas y valores de la familia.

- Ofrece información a los padres sobre brindar un ambiente seguro en el hogar conforme los bebés se movilicen más.

- Ayuda a las familias a comprender el posible temor de los bebés móviles hacia los extraños.

- Conversa con los padres sobre los bebés pequeños con respecto a la independencia emergente y el uso de la palabra "no" por parte del niño.

- Conversa con las familias las razones de desarrollo para los arranques emocionales de los toddlers y de las conductas negativas, ofreciendo sugerencias para controlarlas basándose en lo que funciona en el salón de clases, pidiendo a las familias compartir las estrategias que para ellos funcionan en su hogar.

- Ayuda a las familias a comprender la importancia del juego para los niños.

- Envía al hogar artículos, folletos sobre varios temas relacionados al desarrollo infantil.

- Ofrece a los padres una biblioteca de recursos de libros, revistas, periódicos, dvds, etc.

- Ofrece una página web con enlaces sobre varios recursos de desarrollo infantil y crianza de los hijos.

- Muestra empatía con las familias sobre las áreas que generan estrés en la crianza, como falta de sueño, enfermedades, conductas desafiantes, brindando apoyo y sugerencias para estrategias cuando se solicitan.

- Comparte expectativas realistas con las familias sobre las conductas de los niños, de modo que ayudan a evitar los problemas disciplinarios (por ejemplo, conversan sobre cuánto tiempo los niños pueden sentarse quietos o que los toddlers aún no pueden seguir instrucciones de muchos pasos).

- Brinda eventos educativos para padres con oradores locales.

- Invita a los padres a observar a los niños y a analizar sus observaciones.

- Ayuda a los padres a reconocer sus sentimientos y actitudes sobre necesidades especiales.

 Los Candidatos que buscan una Especialización Bilingüe también deben mostrar evidencia de lo siguiente:

- Comprende los principios y características del desarrollo bilingüe del lenguaje en los niños y explica estos principios y características a los padres.

- Ayuda a las familias a comprender la importancia del aprendizaje de los niños con respecto a su primera lengua y grupo cultural.

- Ayuda a las familias a comprender las metas del programa para el desarrollo bilingüe.

- Explica a las familias en su primer idioma las prácticas de seguridad utilizadas en el salón de clases.

- Con regularidad se comunica con los padres sobre el desarrollo bilingüe de sus hijos y los ayuda a encontrar maneras de apoyar esto dentro de la familia.

- Apoya el deseo de las familias de comunicar su idioma y herencia cultural a sus hijos.

- Si utiliza material traducido, se asegura de que la información sea tan relevante y exacta como la información proporcionada en inglés.

b) Conoce el servicio social y los recursos de salud y educación de la comunidad, involucrándolos cuando sea necesario.

Ejemplos

- Ayuda a las familias a encontrar recursos sobre posibles deficiencias o retrasos que afectan la audición y el habla.

- Observa y evalúa el desarrollo físico de los niños, reconociendo señales de posibles discapacidades físicas y retrasos en el desarrollo, refiriendo a los padres a los servicios adecuados, y haciendo el seguimiento de las referencias o de las planificaciones de desarrollo individual.

- Reconoce que a veces los problemas serios de conducta están relacionados a problemas emocionales o de desarrollo y trabaja conjuntamente con los padres y otros profesionales para encontrar soluciones.

- Trabaja con los miembros de la familia y con especialista para desarrollar planes específicos para las necesidades de cada niño, y trabaja con las familias para cumplir las metas para cada niño.

- Establece relaciones (a través de un enlace) con los servicios comunitarios que responden a la violencia familiar (como Padres Anónimos, Servicios de Protección Infantil y programas de viviendas locales).

- Trabaja como parte de un equipo para ayudar a identificar, diagnosticar e implementar planes individualizados para niños con necesidades especiales.

- Comparte con las familias información clara y comprensible sobre las necesidades especiales de sus hijos e información sobre el derecho legal de la familia a estos servicios.

- Informa a las familias sobre los recursos (como médicos o clínicas comunitarias) que ofrecen servicios a las familias en su lengua materna.

- Brinda información sobre servicios locales de traducción de idiomas, cuando sea necesario.

 Los Candidatos que buscan una Especialización Bilingüe también deben mostrar evidencia de lo siguiente:

- Informa a las familias sobre los recursos (como médicos o clínicas comunitarias) que ofrecen servicios a las familias en su lengua materna.

- Ayuda a los padres a identificar recursos en sus hogares, familias y comunidad que apoyen el desarrollo de ambos idiomas.

c) Recomienda actividades que las familias puedan realizar en casa con el fin de respaldar el desarrollo de sus hijos.

Ejemplos

- Ayuda a las familias a encontrar formas para jugar y aprender con sus toddlers (como enviar a casa bolsas de actividades, libros de cuentos, juegos manipulativos, materiales de arte, etc).

- Comparte ideas con los padres sobre oportunidades de aprendizaje para los niños en rutinas y tareas diarias que se realizan en el hogar.

- Sugiere experiencias y materiales de bajo costo/comunes que puedan respaldar el juego y el aprendizaje en el hogar.

Norma de Competencia V:

Asegurar un programa bien dirigido, con propósitos útiles y que responda a las necesidades de los participantes.

Área Funcional 12: Manejo del Programa

El Candidato es un administrador que utiliza la observación, la documentación y la planificación para apoyar el desarrollo y aprendizaje de los niños, y para asegurar un manejo eficaz de la clase o del grupo. El Candidato competente organiza, planifica, conserva expedientes, se comunica y es un compañero de trabajo cooperador.

Ítem 12.1 El Candidato observa, documenta y evalúa el progreso de desarrollo educativo.

Indicador:

a) **Observa de manera objetiva y registra información sobre el comportamiento y aprendizaje de los niños.**

   Ejemplos

   • Observa de manera regular el progreso educativo/de desarrollo de cada niño.

   • Cuando observa/documenta, sólo registra hechos de conducta (testimonios objetivos) en lugar de suposiciones o prejuicios subjetivos que conducen a malas interpretaciones (como "Rosita sonrió" en lugar de "Rosita estaba feliz" o "Silvia lanzó un bloque que derribó el castillo de bloques de Luis" en lugar de "Silvia quería lanzar un bloque al castillo de bloques de Luis").

   • Recolecta ejemplos de observación para apoyar las preocupaciones con respecto al aprendizaje en potencia, necesidades de conducta o capacidades.

b) **Analiza y evalúa múltiples fuentes de evidencia con el fin de establecer metas apropiadas al nivel de desarrollo para cada niño/grupo, planificando el currículo de manera correspondiente.**

Ejemplos

- Utiliza múltiples fuentes de evidencia al evaluar las fortalezas, intereses, capacidades y necesidades de cada niño (como observaciones escritas, información de los padres, información de herramientas de observación formales e informales, portafolios individuales, muestras de trabajo, etc.).

- Considera las expectativas culturales de cada niño cuando interpreta las observaciones y establece metas.

- Reflexiona sobre experiencias previas con el fin de tomar decisiones intencionales al planificar el plan de estudios.

- Utiliza los Programas de Educación Individualizada (Individualized Education Programs- IEPs) para informar la planificación para los niños, cuando sea aplicable.

- Accede a los recursos como la guía de aprendizaje infantil estatal, cuando está disponible, como guía para la planificación.

 Los Candidatos que buscan una Especialización Bilingüe también deben mostrar evidencia de lo siguiente:

- Hace uso de instrumentos de evaluación disponibles en la segunda lengua.

12.2 El Candidato sigue los requisitos reglamentarios y las políticas del programa.

a) Sigue los reglamentos actuales de la localidad relacionados al cuidado y la educación infantil, y las políticas del programa.

Ejemplos

- Se atiene a todos los requisitos legales del programa.

- Cumple con los requisitos de tamaño del grupo.

- Obedece y cumple los requisitos de relación y proporción entre maestro y niños.

- Puede expresar la filosofía, metas y objetivos del programa a otras personas.

b) El Candidato sigue y respeta los requisitos profesionales de los Informes Obligatorios relacionados al abuso/maltrato y negligencia.

Ejemplos

- Reconoce los síntomas de posibles maltratos y negligencia.

- Está alerta al juego o conductas que indican maltrato físico o sexual.

- Busca recursos para información y apoyo si se sospecha de maltrato físico, emocional o sexual, siguiendo las leyes estatales como respuesta.

- Responde de manera sensible a las necesidades del niño y su familia, colaborando en llevar a cabo los planes de tratamiento.

c) Conserva registros actualizados de salud, seguridad y conducta de los niños.

Ejemplos

- Conserva registros actualizados (como asistencia, informes de accidentes/incidentes, formularios de salud y emergencia, etc.) como lo requieren los reglamentos o políticas, compartiendo la información con los padres, sólo cuando es apropiado.

- Conserva las autorizaciones escritas de los padres de todas las personas a quienes se les permite recoger a los niños del programa.

12.3 El Candidato conserva relaciones profesionales eficaces.

a) Establece relaciones interpersonales cooperativas con compañeros de trabajo, colegas, voluntarios y supervisores.

Ejemplos

- Apoya a otro equipo brindando ayuda y apoyo cuando es necesario.

- Trabaja como un miembro de un equipo con otras personas en el salón de clases y en el programa, incluyendo sustitutos, padres y voluntarios.

- Coordina las planificaciones del programa con los padres, especialistas y personal del programa, cuando es apropiado.

- Mantiene una relación profesional con los supervisores.

- Acepta la supervisión y el desempeño de los deberes u obligaciones.

- Participa en la evaluación en pareja y es capaz de aceptar los comentarios y críticas de colegas, supervisores y padres de una manera constructiva.

Norma de Competencia VI:

Mantener un compromiso profesional.

Área Funcional 13: Profesionalismo

El Candidato toma decisiones fundamentadas en el conocimiento de las prácticas de la educación infantil que tiene como base la investigación, promueve servicios de cuidado y educación infantil de alta calidad, y toma ventaja de las oportunidades para mejorar el conocimiento y la competencia, tanto para el desarrollo personal y profesional como para el beneficio de los niños y sus familias.

Ítem 13.1 El Candidato se compromete a cumplir altas normas de prácticas profesionales.

Indicador:

a) **Protege la confidencialidad de la información de los niños, sus familias y del programa de educación y cuidado infantil.**

Ejemplos

- Trata temas sensibles con discreción, sólo con el equipo apropiado, realizando un seguimiento a la solución.

- Observa estricta confidencialidad con respecto a los temas privados de los niños y las familias, con excepción de los temas que requieran la intervención de las leyes por denunciar maltrato y negligencia infantil.

- Informa a los padres sobre la política de confidencialidad.

b) **Se conduce de un modo profesional, en todo momento.**

Ejemplos

- Muestra un claro entendimiento de las expectativas del trabajo.

- Tiene una actitud positiva y trabaja con ética, manteniendo la energía y el entusiasmo.

- Llega a tiempo al trabajo todos los días.

- Se viste de manera apropiada para cumplir con las responsabilidades de la posición que desempeña.

- Muestra un buen juicio al tomar decisiones que afectan a los niños que están a su cuidado.

13.2 El Candidato trabaja con otros profesionales y familias para comunicar las necesidades de los niños y de las familias a las personas que toman las decisiones.

a) Defiende las necesidades de los niños y sus familias.

Ejemplos

- Aboga por recursos adicionales para niños individuales y para algunos aspectos del programa.

- Fomenta los servicios de alta calidad para los niños y sus familias.

- Apoya y defiende los derechos de los niños y familias en foros públicos.

 Los Candidatos que buscan una Especialización Bilingüe también deben mostrar evidencia de lo siguiente:

- Fomenta el funcionamiento eficaz del programa bilingüe tratando de aclarar los problemas relacionados al bilingüismo y multiculturalismo.

- Aboga por las necesidades de los niños y sus familias que hablan un idioma diferente y que se desenvuelven en un contexto cultural diferente.

13.3 El Candidato aprovecha las oportunidades de continuar su desarrollo profesional.

a) Aprende sobre nuevas leyes y reglamentos que afectan el cuidado y la educación infantil, a los niños y a sus familias.

Ejemplos

- Se mantiene informado sobre las prácticas en cuidado infantil, investigación, legislación y otros avances en el campo de aprendizaje y cuidado infantil utilizando una variedad de métodos, incluyendo las oportunidades en línea y los medios digitales.

- Se mantiene al tanto y trabaja a la par de reglamentos propuestos, temas legislativos y de trabajo que afectan el bienestar de los niños pequeños y de sus familias.

- Busca información sobre leyes/políticas y apoya estrategias para niños y sus familias que han sido afectadas por maltrato físico/sexual y negligencia.

b) Toma oportunidades para el desarrollo profesional y personal reflexionando, uniéndose a organizaciones profesionales y participando en reuniones, cursos de capacitación y conferencias.

Ejemplos

- Es un "aprendiz de por vida", continúa obteniendo conocimiento sobre desarrollo infantil y de las mejores prácticas en educación infantil temprana.

- Continúa aumentando su conocimiento sobre desarrollo infantil con el fin de ayudar a los niños y a sus padres a lidiar con problemas típicos de desarrollo (como ansiedad por separación, llorar, dependencia, terquedad, conductas desafiantes, timidez, identidad sexual y hacer amigos).

- Con regularidad reflexiona sobre su propio desempeño para identificar las necesidades de un desarrollo profesional.

- Mantiene una membresía activa en una asociación o asociaciones en educación y cuidado infantil.

- Busca información relevante de recursos profesionales para las necesidades de los niños que tiene a su cuidado (como periódicos, cursos de escuelas superiores, talleres, páginas web/capacitación en línea, etc.).

- Participa en Comunidades de Aprendizaje Profesional con colegas y miembros de la comunidad.

- Busca comentarios de un mentor o capacitador de confianza.

- Aumenta el conocimiento sobre el aprendizaje de dos idiomas y lo obtiene leyendo, asistiendo a talleres y consultando con profesionales.

 Los Candidatos que buscan una Especialización Bilingüe también deben mostrar evidencia de lo siguiente:

- Se mantiene informado sobre los últimos avances en educación bilingüe al leer artículos, asistiendo a talleres y consultando con profesionales.

- Continúa trabajando para mejorar su fluidez en su segunda lengua.

Nota: También se incluye el **Ítem 13.4** en el Instrumento de Puntuación Global CDA al final de este libro, como un indicador de su profesionalismo, la culminación del Portafolio Profesional del Candidato requerido durante el proceso de credencial CDA.

Parte 3

Información Adicional & Recursos

- Evaluaciones en el Extranjero
- Servicios Especiales ADA
- Principios para Niños Aprendices de Dos Idiomas
- Requisitos de Elegibilidad del Especialista CDA en Desarrollo Profesional™
- Diálogo Reflexivo de la Visita de Verificación CDA™
- Ejemplos de Preguntas del Examen CDA
- Glosario
- Solicitud
- Formularios
- Instrumento de Puntuación Global

Evaluaciones en el Extranjero

El Concilio actualmente valúa Candidatos CDA únicamente en Estados Unidos, Puerto Rico y en las instalaciones en el extranjero de los Servicios de Desarrollo Infantil del Ejército de los EE.UU de todas las Ramas Militares. Si los Candidatos que se encuentran fuera de Estados Unidos o Puerto Rico desean obtener la Credencial CDA, ellos deben contactarse con el Concilio para conversar sobre cualquier protocolo especial y gastos adicionales.

Servicios Especiales ADA

La misión del Concilio para el Reconocimiento Profesional es brindar la oportunidad a todos los profesionales en educación infantil para participar en un proceso de evaluación CDA justo y estandarizado para demostrar su competencia y conocimiento.

El proceso de certificación CDA está en plena conformidad con los requisitos de la Ley para personas discapacitadas en EEUU, conocida como ADA por sus siglas en Inglés (American with Disabilities Act). El Concilio brindarán los servicios razonables a todos los Candidatos elegibles que proporcionen la documentación médica apropiada.

Para más información, por favor contáctese con el Concilio *antes de presentar su solicitud* al 800-424-4310 para hablar sobre cualquier servicio o arreglo especial que se deba hacer para su Visita de Verificación CDA™ y Examen CDA.

Principios para Niños Aprendices de Dos Idiomas

Los niños pequeños cuya lengua en el hogar no es el inglés, participan en centros de cuidado y educación infantil y en hogares de cuidado y educación infantil. A estos niños se les conoce como niños aprendices de dos idiomas porque, o están aprendiendo dos idiomas de manera simultánea o están agregando un nuevo (segundo) idioma a su lengua principal (lengua materna). Los siguientes principios de desarrollo junto con sus ejemplos prácticos se presentan de manera individual para enfatizar su aplicación a todos los Estándares de Competencia y Áreas Funcionales. Estos principios y ejemplos brindan una guía importante para ayudar a los maestros en un trabajo competente con niños aprendices de dos idiomas.

Contexto de Desarrollo

Los bebés y toddlers expuestos a dos idiomas en su hogar o en un programa de cuidado y educación infantil, tienen la oportunidad de desarrollar habilidades básicas de lenguaje en dos idiomas de manera simultánea (adquisición simultánea en dos idiomas). Sin embargo, cuando los niños pequeños (3, 4 y 5 años) que tienen familias cuyo idioma principal no es el inglés empiezan a participar en un centro preescolar o en un hogar de cuidado y educación infantil, es más probable que ellos ya hayan establecido una habilidad básica del lenguaje en su lengua materna. Para estos niños, esta oportunidad de adquisición de una segunda lengua se conoce como adquisición secuencial de dos idiomas. Los programas de educación infantil también pueden ofrecer oportunidades para la adquisición de una segunda lengua a niños cuya lengua materna es el inglés. No obstante, los siguientes principios de desarrollo y ejemplos se enfocan en los niños pequeños que son aprendices del idioma inglés en los programas preescolares.

La literatura de investigación en la adquisición de una segunda lengua identifica las cuatro siguientes etapas de desarrollo (Tabors, 2008; Espinosa , 2010):

1. Uso de la lengua materna

Los niños pequeños que han establecido una habilidad básica de la comunicación oral en su lengua materna, naturalmente ingresan al ambiente preescolar usando su lengua materna familiar. El grado en el que estas experiencias de los niños sean comprendidas por otros depende si uno de los adultos o niños habla su lengua materna.

2. Periodo no verbal/de observación

Cuando a los niños pequeños que hablan su lengua materna con frecuencia no se les entiende, empiezan a hablar menos y vierten su atención en observar, escuchar y utilizar medios de comunicación no verbales. Esta etapa de desarrollo es muy importante a medida en que el niño está aprendiendo activamente los sonidos, las palabras y las reglas del nuevo idioma. Estos niños están construyendo su entendimiento receptivo del nuevo idioma—conectando los sonidos y palabras a las personas, objetos y experiencias. Puede existir una amplia variación en la cantidad de tiempo en que un niño accione en esta etapa de desarrollo.

3. Habla Telegráfica y Expresiones Hechas – (Tegraphic and formulaic speech)

Los niños empiezan a probar el nuevo idioma, usando palabras o frases simples para expresar sus pensamientos, peticiones e indicaciones. A pesar de que el niño no sepa el significado específico de estas palabras y frases, los niños aprendices de dos idiomas se enfocan en resultados—ellos trabajan para las interacciones sociales o consiguen las respuestas deseadas de un adulto. Esta forma de producción temprana del lenguaje también permite que estos niños empiecen a participar en grupos de canto o para recitar rimas.

4. Lenguaje Productivo – (Productive language)

Dual Los niños aprendices de dos idiomas empiezan a construir sus propias oraciones originales al usar palabras y frases que han escuchado y practicado. Esta es una etapa gradual en la medida en que los niños prueben lo que funciona y experimenten al aplicar las reglas gramaticales de su nuevo idioma. El lenguaje productivo de cada niño está estrechamente relacionado con su expansión del lenguaje receptivo.

Los adultos que trabajan con éxito con los niños pequeños aprendices de dos idiomas, comprenden que, a pesar de que cada una de las etapas de desarrollo mencionadas arriba se construye una apoyándose en otra, el empezar a usar el lenguaje productivo no reemplaza las fases tempranas en situaciones particulares. En algunas circunstancias el niño se revertirá hacia la observación y la escucha no verbal. Los maestros eficaces también son sensibles a numerosos factores que influyen en el índice y competencia de la adquisición de un nuevo idioma de cada niño—cantidad y calidad de exposición al idioma inglés, edad y cultura, motivación e interés en el nuevo idioma, personalidad y, grado de aceptación de las relaciones que apoyen el intento del nuevo idioma (Tabors, 2008). Comprender que existirán diferencias individuales entre los niños es esencial para brindar el mejor apoyo al desarrollo de dos idiomas.

Un componente sumamente importante de buenos programas de educación infantil y hogares de cuidado y educación infantil es brindar un ambiente de aprendizaje que sea de apoyo para el desarrollo del lenguaje de todos los niños. Para niños aprendices de dos idiomas, esto significa brindar experiencias apropiadas a la edad, a la cultura y de un uso individual apropiado que ayuden a los niños a empezar a comprender y a utilizar el idioma inglés al desarrollar de manera simultánea su lengua principal (lengua materna). Esto incluye motivar a los padres para brindar a sus niños una base sólida en su lengua materna.

Cuando la segunda lengua de un niño (normalmente inglés) se usa predominantemente por la sociedad que lo rodea, el desarrollo de la lengua materna y la conservación de ella puede volverse más difícil. Sin embargo, la investigación muestra que los aprendices de una segunda lengua tienen un mejor desempeño en la escuela cuando tienen una fuerte base en su lengua materna (Espinosa, 2010; Oiler & Eilers, 2002; Slavin & Cheung, 2005).La pérdida de la primera lengua puede ser perjudicial, no sólo por razones personales, familiares, religiosas y culturales, sino que también puede impactar de manera negativa el progreso de los niños en la escuela. Los maestros pueden ayudar a las familias a valorar y a apoyar a sus niños para que continúen desarrollando la lengua materna mientras aprenden también una segunda lengua.

Indicadores de Competencia con Niños Aprendices de Dos Idiomas

a) **El Candidato competente que trabaja con niños aprendices de dos idiomas tiene conocimiento y respeta la familia del niño, la cultura y su lengua materna.**

Ejemplos

- Busca información sobre el lenguaje hablado en el hogar y la competencia del niño en la lengua materna.

- Demuestra interés y respeta las prioridades de la familia relacionadas a su niño, incluyendo la actitud para conservar la lengua materna y adquirir el idioma inglés.

- Se esfuerza por aprender sobre la cultura y las creencias del hogar del niño, así como la gente, mascotas, actividades y objetos que son familiares e importantes para él. Incluye artefactos e ilustraciones en el centro para ayudar con la introducción de palabras y frases en inglés de objetos que ya le sean familiares al niño de edad preescolar.

- Mantiene la comunicación con las familias y/o con el educador principal del niño para seguir el desarrollo de los logros de éste en su lengua materna.

- Tiene conocimiento y respeta la familia del niño.

- Pregunta a los padres algunas palabras en la lengua materna que se puedan usar para dar la bienvenida al niño en el salón de clases *(por ejemplo, con la autorización de los padres hace una grabación de estas palabras para usarlas en el salón de clases para la comodidad del niño y para ayudar a otros niños a escuchar los sonidos de la lengua materna del niño).*

b) **El Candidato competente que trabaja con niños aprendices de dos idiomas establece relaciones receptivas y de aceptación para ayudar a que los niños se sientan en confianza de entablar una comunicación receptiva y verbal, ya sea en su lengua materna o en otro nuevo idioma.**

Ejemplos

- Establece relaciones positivas, cariñosas y de amor y cuidado con los niños aprendices de dos idiomas, para que ellos se sientan seguros y menos ansiosos. Habla en inglés, de modo que ayuda a los niños aprendices de dos idiomas a comprender: utiliza oraciones simples, repite lo que se dice, usa gestos y expresiones faciales, señala los objetos, usa el vocabulario de todos los días.

- Habla inglés de manera clara y lenta pero no con voz fuerte. Simplifica el lenguaje cuando es necesario como se haría con un niño pequeño que está aprendiendo su primer idioma, de modo que el niño puede oír y aprender palabras sueltas y frases de una manera más fácil.

- Usa la repetición para que el niño oiga la misma palabra o frase muchas veces y siempre relacionándolo con un objeto, persona o acción.

- Complica gradualmente su propio lenguaje para que los niños aprendices de dos idiomas continúen progresando en el desarrollo del vocabulario.

- Individualiza interacciones que ayuden a cada niño a ganar confianza en nuevas personas y en el ambiente.

- Es receptivo y alentador cuando un niño intenta producir una comunicación verbal, ya sea en la lengua materna o en otro nuevo idioma.

- Brinda respuesta verbal respetuosa en el idioma en el que el niño intente hablar *(si es posible)*.

- Reconoce cuando el niño articula palabras o dice palabras para sí mismo y motiva estos intentos.

- Brinda apoyo social para niños aprendices de dos idiomas—contacto regular con otros niños o adultos que hablen su idioma para así ayudar a apoyar su identidad y ayudarlos a dar sentido a lo que está sucediendo.

- Ofrece mucho tiempo y oportunidades para que los niños jueguen y hablen entre ellos mismos.

- Motiva las interacciones entre los niños aprendices de dos idiomas y los niños que hablan inglés al dar iniciaciones de modelo *(por ejemplo, el Candidato dice a un niño "Pregunta a Lili, ¿puedo jugar contigo?")*.

- Pone en parejas a un niño aprendiz de inglés con un niño extrovertido de habla inglesa por ciertos periodos de tiempo durante el día, para que el niño de habla inglesa ayude a integrar al niño aprendiz de inglés en las actividades de la clase.

c) **El Candidato competente que trabaja con niños aprendices de dos idiomas brinda numerosas y apropiadas experiencias que ayudan a los niños a obtener una comprensión receptiva del nuevo idioma—específicamente al oír los sonidos del nuevo idioma y conectarlos a personas, objetos y experiencias.**

Ejemplos

- Utiliza rutinas predecibles y cómodas en el salón de clases para que los niños aprendices de dos idiomas sepan qué esperar, y usa un lenguaje constante al referirse a las actividades *(la hora de limpiar)* y a los objetos *(estantes pequeños, área de la casa, área para jugar con los bloques, pasamanos/barras para juegos infantiles, etc.)* a lo largo del día, en la clase y en los ambientes externos.

- Brinda ilustraciones para acompañar el horario diario, las reglas del salón de clases, y otras láminas para ayudar a que los niños sepan las expectativas aunque ellos no comprendan el idioma.

- Con frecuencia acompaña la comunicación verbal con gestos, acciones, ayudas visuales o miradas dirigidas para ayudar al niño a interpretar direcciones *(por ejemplo, muestra cómo lavarse las manos cantando "Lavemos tus manos")* o descripciones de acciones *(por ejemplo, "Aquí está tu chaqueta, tu libro o merienda")*.

- Ayuda a que los niños conecten el vocabulario del idioma inglés a sus experiencias personales con ilustraciones, objetos concretos y sucesos de la vida real. La mayor parte del tiempo habla del aquí y del ahora, hasta que los niños sean más competentes en el idioma inglés.

- Selecciona libros, canciones y poemas con un lenguaje repetitivo y los repite frecuentemente. Utiliza música y acciones físicas para ayudar a los niños a aprender nuevas frases y oraciones *("Cabeza, rodillas, ojos, pies")*.

- Lee libros, si es posible lo hace primero en el idioma principal del niño y luego otro día en inglés, siempre señalando las ilustraciones relacionadas con las palabras y frases.

- Brinda a grupos pequeños momentos de lectura usando libros de aprendizaje o textos previsibles *(como Oso Pardo, so Pardo)* con vocabulario simplificado donde los niños puedan ver las ilustraciones con claridad y seguir con la lectura. Lee el mismo libro repetidas veces, siempre y cuando los niños lo disfruten, para construir la comprensión. Lee (u ofrece cintas de audio) en la lengua materna de los niños.

- Describe en palabras y frases simples las acciones del niño *(por ejemplo, "Tú estás rodando la pelota")* o acciones de otros niños que esté observando *(por ejemplo, "Alicia está meciendo la muñeca")*.

- Coloca palabras al final de la oración para dar énfasis a esas palabras *(por ejemplo, "Tú tienes zapatos rojos. Rosita tiene zapatos negros")*.

- Se mantiene alerta al uso de la comunicación no verbal de los niños aprendices de dos idiomas, tal como señalar silenciosamente a una caja de leche. Abastece con palabras en inglés lo que el niño trata de comunicar *(por ejemplo, "¿deseas más leche? Por supuesto, con gusto te daré más leche")*.

- Introduce intencionadamente nuevas palabras al vocabulario y utiliza esas palabras a lo largo del día.

d) **El Candidato competente que trabaja con niños aprendices de dos idiomas brinda experiencias que animan y ayudan a los niños a practicar los sonidos y palabras del nuevo idioma tomando en cuenta las etapas y patrones de la lengua materna y la** adquisición del inglés, así como la información sobre el progreso de cada niño en el desarrollo cognitivo, socio-emocional y físico.

Ejemplos

- Motiva al niño a repetir las palabras mientras él o ella muestra a qué objeto o ilustración hace referencia.

- Da al niño tiempo para que piense lo que desean decir y espera para ofrecer opciones de la palabra o frase que estén buscando para cuando el niño parezca necesitar ayuda.

- Pregunta a los pequeños aprendices de la segunda lengua preguntas cerradas y brinda algunas opciones para sus respuestas *(por ejemplo, "¿Quieres la muñeca o el payaso?")*.

- Hace pausas y deja que el niño complete la siguiente palabra cuando lee libros.

- Brinda oportunidades para poder responder en coro con todos los niños.

- Ayuda a que los niños vayan de repuestas no verbales a respuestas más expresivas *(por ejemplo, el niño mira su camiseta con jugo derramado y mira al Candidato; el Candidato responde "¿Necesitas que te cambie la camiseta?" Niño: "cambia camiseta." Candidato: "Correcto, con gusto te cambiaré tu camiseta")*.

- Es capaz de ampliar el vocabulario del niño *(por ejemplo, el niño dice "asqueroso." El Candidato responde "Sí, el piso está muy sucio, asqueroso")*.

- Nota las palabras o frases que dice el niño *("yo", "gusta", "más")* y ayuda al niño a construir a partir de esas palabras o frases *(el Candidato dice "¡Te gusta!" "Quieres más")*.

- Ofrece experiencias para que el niño juegue con los sonidos: canciones de cuna, canciones y juegos repetitivos, poemas en donde se repiten las palabras.

- Comprende que el cambio de código o la mezcla de los idiomas son aspectos comunes y naturales de la adquisición de la segunda lengua y mejora la comunicación, y no impone reglas estrictas sobre el lenguaje *(por ejemplo, el niño dice "me afraid perro." El Candidato responde: "Oh, sé que te asustan los perros")*.

- Da modelos correctos de la versión en inglés de una frase usada por un niño aprendiz de dos idiomas *(por ejemplo, el niño dice "Yo he fuido al parque", el Candidato responde: "Tú has ido al parque? ¿Quién ha ido contigo?")*.

- Hace participar al niño en conversaciones de temas que son interesantes e importantes para él o ella y que son parte de las experiencias de su vida.

- Ofrece a los niños aprendices de inglés oportunidades de interacción uno-a-uno con otro niño o adulto en donde se sientan más cómodos para hablar en inglés. Pero también planifica para que los niños aprendices de inglés tengan experiencias en grupos pequeños—a veces con niños que son aprendices de inglés y otras veces con grupos mezclados de habla inglesa y niños aprendices de inglés, ya que cada contexto ofrece diferentes oportunidades de crecimiento.

• Ayuda a los niños a adquirir destrezas, conocimiento y actitudes tales como el conocimiento y la apreciación por la lectura, consciencia de las letras, conocimiento de las letras, y una conciencia fonológica en su lengua materna. Una vez adquiridas, estas destrezas transmitirán a medida en que los niños se vuelvan competentes en el idioma inglés.

• Incluye imágenes/letras del medio ambiente *(señales, etiquetas, libros, revistas, periódicos y otros textos)* en inglés y en la lengua materna del niño.

Referencias:

Espinosa, L. (2010). *Getting it right for young children from diverse backgrounds: Applying research to improve practice.* Upper Saddle River, NJ: Pearson.

Oller, K. D., & Eilers, R. E. (Eds.). (2002). *Language and literacy in bilingual children.* New York: Multi-Lingual Matters.

Slavin, R. E., & Cheung, A. (2005). A synthesis of research on language of reading instruction for English language learners. *Review of Educational Research,* 75 (2), 247-281.

Tabors, P.O. (2008). *One child, two languages: A guide for early childhood educators of children learning English as a second language (2nd ed.).* Baltimore: Paul H. Brookes Publishing, Co.

Requisitos de Elegibilidad del Especialista CDA en Desarrollo Profesional™

Para llevar a cabo las Visitas de Verificación CDA™ como un Especialista CDA en Desarrollo Profesional (DP)™, una persona debe cumplir los siguientes criterios:

Tecnología

- Debe tener un correo electrónico válido.

- Debe tener acceso a internet.

Personal

- Debe ser capaz de relacionarse con gente de diferentes razas, etnias y orígenes socio- económicos.

- Debe tener conocimiento pleno de los requisitos y normas locales, estatales y nacionales de los programas de educación infantil que sirven a niños desde el nacimiento hasta los 5 años de edad.

- Debe ser capaz llevar a cabo las Visitas de Verificación CDA™ durante las horas de funcionamiento normal de los programas de educación infantil.

- Los Especialistas CDA en DP™ que llevan a cabo las Visitas de Verificación CDA™ bilingües deben ser bilingües.

- Los Especialistas CDA en DP™ que llevan a cabo las Visitas de Verificación CDA™ monolingües deben hablar el idioma de la Especialización Monolingüe.

Educación

- Debe tener un título de Bachiller (BA., BS.) o título de Asociado (AA) de una universidad o colegio superior acreditados, en una de las siguientes disciplinas:

  - Educación Infantil/Desarrollo del Niño

  - Educación Primaria/Educación Infantil

  - Economía del Hogar/Desarrollo del Niño

- El título debe incluir, como mínimo 18 semestres o 24 cuartos de hora de tareas del curso (6 horas) en Educación Infantil/Desarrollo del Niño, enfocados en niños desde el nacimiento hasta los 5 años de edad.

Experiencia

Opción 1:

Para aquellas personas que tienen un título de Bachiller (BA./BS.) o superior, dos años de experiencia en un ambiente de trabajo de educación y cuidado infantil sirviendo a niños desde el nacimiento hasta 36 meses de edad, debe incluir:

- Un año trabajando directamente con niños como educador, maestro, trabajador social o en un rol similar, y un año facilitando el crecimiento profesional de por lo menos un adulto.

Opción 2:

Para aquellas personas que tienen un título de Asociado (AA), cuatro años en un ambiente de trabajo de educación y cuidado infantil sirviendo a niños desde el nacimiento hasta 36 meses de edad, debe incluir:

- Dos años trabajando directamente con niños como educador, maestro, trabajador social o en un rol similar, y dos años facilitando el crecimiento profesional de por lo menos un adulto.

Nota: Cualquier profesional en cuidado infantil y aprendizaje que sólo cumpla de manera parcial l os requisitos de elegibilidad pueden aún realizar una solicitud para llegar a ser un Especialista CDA en Desarrollo Profesional (DP)™. Se proporciona un espacio en la solicitud en línea de Especialistas CDA en DP™, en donde las personas interesadas tendrán la oportunidad de brindar más explicaciones. Las determinaciones finales de elegibilidad serán hechas por el Concilio.

Diálogo Reflexivo de la Visita de Verificación CDA™

La Visita de Verificación CDA™ 2.0 concluye con un diálogo reflexivo de 45-50 minutos entre el Candidato y el Especialista CDA en Desarrollo Profesional (DP)™. El propósito del Diálogo es apoyar las habilidades en desarrollo de reflexión profesional y el establecimiento de metas del Candidato. La agenda del Diálogo es la siguiente:

Bienvenida, Aclaraciones (máximo 10 min.)

Bienvenida

- El Especialistas CDA en DP™ empieza dando la bienvenida al Candidato y revisando la agenda, expectativas y metas para la sesión diciendo "Pasaremos 45-50 minutos juntos. Mi role es ayudarlo mientras que usted reflexiona en su crecimiento profesional continuo y establece nuevas metas para usted mismo".

Aclaraciones (opcional)

- El Especialistas CDA en DP™ utiliza este tiempo para hacer preguntas con respecto a cualquier Ítem del Instrumento de Puntuación Global que aún pueda necesitar alguna aclaración luego de la Revisión y Observación. (i.e., "No pude leer u observar nada sobre la Hora de la Siesta. ¿Cómo se asegura usted de que es un tiempo de descanso agradable para todos los niños?" o "No pude leer u observar nada sobre cómo usted organiza la hora de las comidas. Dígame cómo usted 'brinda experiencias apropiadas a la hora de la comida'.")

Introducción del Diálogo Reflexivo, Testimonio de Filosofía Profesional (10 min.)

Introducción del Diálogo Reflexivo

- El Especialistas CDA en DP™ introduce el Diálogo Reflexivo explicando que:

    a. El diálogo reflexivo no será calificado.

    b. No existen respuestas "correctas" o "incorrectas" en la conversación que estamos a punto de tener. .

- El Especialistas CDA en DP™ pide al Candidato mirar la Hoja de Trabajo del Diálogo Reflexivo que se encuentra en la pág. 141 de este libro. Durante el Diálogo Reflexivo, él/ella utilizará la Hoja de Trabajo para registrar puntos importantes que desee recordar sobre sus Áreas de Fortaleza Profesional y Áreas para un Futuro Desarrollo Profesional. Al final del Diálogo, él/ella consultará su Hoja de Trabajo para establecer metas y registrar los posibles pasos para alcanzar cada meta.

Testimonio de Filosofía Profesional

• El Especialistas CDA en DP™ y el Candidato conversan sobre el Testimonio de Filosofía Profesional del Candidato.

• El Especialistas CDA en DP™ pregunta, "¿De qué manera su práctica docente refleja su filosofía profesional?" o "Realmente eso es impactante. ¿Cómo hace usted para que su filosofía cobre vida?"

Autorreflexión del Candidato (10 min.)

Áreas de Fortaleza Profesional

a. Especialistas CDA en DP™: "¿Cuál piensa/cree usted que son sus mejores áreas de Fortaleza como profesional en educación infantil?"

b. "¿Por qué? ¿Cómo desarrolla usted estas áreas de Fortaleza?"

c. "Cómo piensa usted que sus áreas de Fortaleza puedan impactar de manera positiva a los niños y familias que están a su cuidado?"

Áreas para un Futuro Desarrollo Profesional

a. Especialistas CDA en DP™: "¿Cuál piensa/cree usted que son sus áreas para un futuro desarrollo como profesional en educación infantil?"

b. "¿Por qué piensa usted que esta(s) área(s) es (son) más desafiante(s) para usted que la(s) que mencionó como fortaleza(s)?"

c. "¿Cómo piensa usted que trabajando en estas áreas para el desarrollo pueda impactar de manera positiva a los niños y familias que están a su cuidado?"

Comentarios del Especialistas CDA en DP™ (menos de 10 min)

Un Área de Fortaleza Profesional

a. Especialistas CDA en DP™: "Habiendo revisado su Portafolio y habiéndolo observado trabajando con niños, ésta es la mejor área de fortaleza profesional que he documentado."

b. "¿Cómo desarrolla usted esta fortaleza?"

c. "¿Cómo piensa usted que esta Fortaleza pueda impactar de manera positiva a los niños y familias que están a su cuidado?"

Un Área para un Futuro Desarrollo Profesional

a. "Aquí hay un área para un futuro desarrollo profesional que he documentado."

b. "¿Cómo el desarrollo en esta área puede impactar de manera positiva a los niños y familias que están a su cuidado?"

Establecimiento de Metas & Plan de Acción, Final (10 min.)

Establecimiento de Metas

- Especialistas CDA en DP™: "Utilizando las áreas de Fortaleza y las áreas para un futuro desarrollo que usted ha identificado y escrito en la Hoja de Trabajo del Diálogo Reflexivo, tomemos un momento para identificar las metas de desarrollo profesional 1 – 3 que usted pueda establecer para sí mismo." (Nota: Las metas finales son determinadas por el Candidato, nunca por el Especialistas CDA en DP™).

Plan de Acción

- Especialistas CDA en DP™: "¿Cómo y cuándo alcanzará usted estas metas? Anotemos algunas acciones que usted pueda tomar y también los plazos para su culminación. Luego, usted las puede escribir en los espacios apropiados de su Hoja de Trabajo."

- El Candidato y el Especialistas CDA en DP™ firman las declaraciones que se encuentran en la parte inferior de la Hoja de Trabajo. (El Candidato se compromete a seguir las metas, el Especialistas CDA en DP™ firma como testigo del compromiso del Candidato).

Final

- Especialistas CDA en DP™: "Gracias por pasar este tiempo en el Diálogo Reflexivo conmigo. Espero que haya sido valioso para usted. Al Concilio le gustaría motivarlo para compartir sus metas con un mentor o con su supervisor – alguien que se pueda responsabilizar y apoyarlo en el proceso de alcanzar con éxito estas metas mientras usted continúa creciendo como un profesional en educación infantil".

Preguntas del Examen CDA

Los siguientes ejemplos se brindan como apoyo a los candidatos para entender la naturaleza y estructura de las preguntas que encontrarán en el examen. Ninguno de estos ejemplos a continuación se incluye en lo absoluto en el examen real que los candidatos tomarán.

Como puede observar, el examen CDA ha sido cuidadosamente diseñado por expertos en el país con un enfoque en ejemplos «reales» que ilustran la capacidad del candidato de poner en práctica la teoría de la primera infancia, la investigación y el conocimiento con niños pequeños.

Área Funcional: Seguridad

¿Cuál de los siguientes alimentos es más seguro dar a los niños con edad suficiente para comer alimentos sólidos, pero menores de tres años?

A. Perros calientes (hot dogs) cortados en trozos

B. Cacahuetes/maní

C. Uvas enteras

D. Peras en cubitos finos

Respuesta: D. Las peras en cubitos finos son más suaves y fáciles de comer que las demás opciones de alimentos dadas. A, B y C son más propensos a causar asfixia.

Área Funcional: Salud

Un programa tiene seis bebés que oscilan entre cinco y 10 meses de edad. Todos están en sus horarios de alimentación. ¿Qué enfoque a la alimentación debiera tener este programa?

A. Mantener los horarios de alimentación que estos bebés ya tienen

B. Crear un nuevo horario de cada cuatro horas para alimentar a los bebés

C. Obtener el permiso de los padres para establecer un horario en común

D. Usar el horario del bebé que tenga el mejor peso

Usar el horario del bebé que tenga el mejor peso

Área Funcional: Cognitivo

Jazmín de un año de edad coloca repetidamente cubos en un balde y después los tira afuera. ¿Cómo debiera actuar el maestro de Jazmín?

A. Sugiriendo un uso más creativo de los cubos

B. Diciendo a Jazmín que el balde debería usarse para agua o arena

C. Animando a Jazmín a que continúe, aumentando su interés en el concepto de «vacío» y «lleno»

D. Motivando a Jazmín a que empiece un tipo de actividad diferente

Respuesta: C. El maestro debiera desarrollar el interés de Jazmín por llenar y vaciar el balde. A y B sugieren que ella está haciendo algo incorrecto y D ignora su descubrimiento.

Área Funcional: Comunicación

¿Cuál es el mejor método para promover el desarrollo del lenguaje en bebés menores de un año?

A. Conversar con ellos sobre su entorno y cantarles

B. Colgar móviles compuestos por letras del abecedario sobre sus cunas

C. Permitir que los toddlers y otros niños de mayor edad jueguen con los bebés

D. Mantener canciones grabadas y un televisor encendidos durante todo el día

Respuesta: A. Los bebés aprenden a través de interacciones como describe la opción A. B puede ser peligroso y no contribuye al desarrollo lingüístico de un bebé. C necesita supervisión y puede utilizarse como un medio de desarrollo del lenguaje en el ambiente del programa. D no es interactivo.

Área Funcional: Concepto de sí mismo

¿Cuáles de las siguientes prácticas docentes es la más efectiva para ayudar a los toddlers a desarrollar su sentido de autoestima?

A. Dedicarle tiempo a escuchar e interactuar con cada niño

B. Asegurarse que todos los niños reciban elogios por igual

C. Exponer, por todas partes, los dibujos y los objetos que los niños hacen

D. Premiar a menudo a aquellos niños que trabajan y se portan bien

Respuesta: A. Comunicarse con los niños como individuos fomenta su sentido de autoestima. B no considera las diferencias individuales. C es una buena actividad pero posee un valor limitado en la creación de autoestima de hacerse sin A. D estimula a los niños a centrarse en el premio y por ende puede ser contraproducente para el desarrollo de la autoestima.

Área Funcional: Manejo del programa

¿Cuál es el objetivo principal de hacer observaciones en niños individualmente?

A. Obtener información útil basada en hechos reales acerca del niño

B. Describir el progreso del niño con buenos ojos

C. Verificar que el programa marcha según sus objetivos

D. Brindar apoyo a decisiones que el maestro ha tomado

Respuesta: A. Las observaciones debieran proporcionar declaraciones objetivas respecto a los comportamientos del niño. B, C y D fomentan el uso de opiniones subjetivas.

Glosario de Términos

El siguiente glosario ha sido organizado según el orden general del Proceso de Certificación CDA y de este libro de Normas de Competencia, el orden en el que el Candidato pueda encontrar cada término.

General

Programa Bilingüe
Un programa bilingüe es aquél que tiene metas específicas para alcanzar el desarrollo bilingüe de los niños, en donde dos idiomas son usados constantemente en actividades diarias y en donde se ayuda a las familias a comprender las metas y apoyar el desarrollo bilingüe de los niños.

Candidato
Es una persona que ha presentado una solicitud y ha cumplido todos los requisitos de elegibilidad para la Credencial CDA.

CDA
La Credencial de Asociado en Desarrollo Infantil™ (The Child Development Associate Credential™).

Competencia
Habilidad o capacidad para hacer algo bien.

Normas de Competencia
Criterios que definen las habilidades que un profesional competente en aprendizaje y educación infantil debe demostrar al trabajar con niños pequeños. Existen seis Normas de Competencia, 13 Áreas Funcionales, así como Ítems y Ejemplos que brindan más ilustración de los conceptos presentados. Las seis Normas de Competencia son:

I.   Establecer y mantener un ambiente de aprendizaje saludable y seguro.

II. Promover la competencia física e intelectual.

III. Apoyar el desarrollo social y emocional, y brindar una guía positiva.

IV. Establecer relaciones positivas y productivas con las familias.

V.   Asegurar un programa bien dirigido, con propósitos útiles y que responda a las necesidades de los participantes.

VI. Mantener un compromiso profesional

El término Normas de Competencia es a menudo utilizado como un nombre abreviado para este libro.

Contexto de Desarrollo

Las Normas de Competencia incluyen un Contexto de Desarrollo para cada una de las 13 Áreas Funcionales. Esto incluye un breve resumen del desarrollo de los niños y un contexto del trabajo del educador con niños en sus diferentes etapas de desarrollo.

Niños Aprendices de Dos Idiomas

Son niños que están aprendiendo dos idiomas de manera simultánea o están incorporanco un nuevo (segundo) idioma a su lengua materna.

Área Funcional

Es una categoría de responsabilidad que define el rol o la función del educador en relación con los niños. Las seis Normas de Competencia están organizadas en trece Áreas Funcionales: Seguridad, Salud, Ambiente de Aprendizaje, Físico, Cognoscitivo, Comunicación, Creatividad, Concepto de Sí Mismo, Guía, Familias, Manejo del Programa y Profesionalismo.

Especialización de Idioma

Los Candidatos pueden elegir agregar Especializaciones a su Credencial CDA:

- Especialización Bilingüe (para Candidatos que trabajan en programas bilingües).

- Especialización Monolingüe (para Candidatos que trabajan en programas en donde se habla otro idioma que no sea inglés).

1 Preparación

Hora Reloj

60 minutos. Utilizados para determinar las 120 horas requeridas de educación profesional.

Cuestionarios para la Familia

El Candidato distribuye un Cuestionario para la Familia a cada familia que tiene un niño en su grupo. Los cuestionarios brindan una oportunidad a las familias de describir/evaluar el trabajo del andidato desde su punto de vista y dar comentarios al Candidato.

Educación Profesional

Es la capacitación/preparación de cuidado y educación infantil para trabajar con niños y familias. Un Candidato debe haber completado 120 horas reloj de dicha preparación. El Candidato CDA debe haber tenido una instrucción integral en educación infantil/desarrollo infantil en las ocho Áreas Temáticas CDA.

Portafolio Profesional

Es la recopilación de documentación de la capacidad del Candidato para cumplir todos los requisitos CDA de elegibilidad. El Portafolio también proporciona la compilación de las reflexiones del Candidato sobre cómo su propia práctica cumple las Normas de Competencia CDA. El Portafolio está conformado por:

- Registro de notas/certificados/cartas, documentación de la educación profesional del Candidato

- Cuestionarios para la Familia

- Seis Testimonios Reflexivos de Competencia

- La Recopilación de Recursos

- El Testimonio de Filosofía Profesional

② Solicitud

Solicitud

Es el formulario en línea que usted utilizará para notificar al Concilio que usted está listo para su evaluación (la Visita de Verificación CDA™ y el Examen CDA). Si usted no puede usar la solicitud en línea, usted podrá usar la versión en papel que se encuentra en la pág. 129 en la parte posterior de este libro.

Número de identificación (ID) del Candidato

Es el número que le asigna el Concilio para el Reconocimiento Profesional. El número aparece en su Nota de Confirmación y en la hoja impresa que usted recibe en el centro de evaluación que confirma que usted completó el Examen CDA.

Especialista CDA en Desarrollo Profesional (DP)™

Es el profesional en educación infantil, capacitado y aprobado por el Concilio para llevar a cabo su Visita de Verificación CDA™.

Conflicto de Intereses

Es una relación que puede interferir con la capacidad del Especialista CDA en Desarrollo Profesional (DP)™ para ser objetivo al evaluar a un Candidato. Las relaciones con Candidatos que no se aceptan para servir en el rol del Especialistas CDA en DP™ son:

- Pariente directo (madre, padre, hermano, hermana, cónyuge, hijo, hija)

- Supervisor inmediato actual

- Compañero de trabajo del mismo grupo/salón de clases

Notificación o aviso Listos para Programar el Examen

Es la notificación por correo electrónico o papel que usted recibirá del Concilio luego de que su solicitud CDA y tarifa de evaluación hayan sido procesadas exitosamente. La notificación le permite programar la Visita de Verificación CDA™ y el Examen CDA y le da la fecha límite o plazo para completar ambos.

El Examen CDA

Aviso de Confirmación

Es la carta o correo electrónico que usted recibe de PearsonVUE confirmando la cita de su Examen CDA.

Marcar (Flag)

Si usted no está seguro de su respuesta a una pregunta del examen, usted puede "marcarla" para revisarla después dando clic en el botón "marcar" ("flag") que se encuentra en la pantalla de la computadora. Al final, si el tiempo lo permite, usted tendrá la oportunidad de revisar las preguntas que marcó.

Mi Cuenta

Es la cuenta que creará a través de la página web PearsonVUE mediante la cual usted programará y hará el seguimiento de su Examen CDA.

Acuerdo de Confidencialidad

Es la declaración requerida vista al inicio del Examen CDA en donde usted confirma que está rindiendo el examen porque usted desea obtener la Credencial CDA.

Contraseña

Es la palabra secreta conocida sólo por usted que utilizará junto con su nombre de usuario para ingresar a Mi Cuenta en la página de PearsonVUE para programar su Examen CDA. .

PearsonVUE

Es el dueño y proveedor de los centros de evaluación en donde usted rendirá el Examen CDA.

Pantalla de Revisión

Es la pantalla de la computadora que se le presentará luego de que haya dado clic a las 65 preguntas del Examen CDA. La pantalla le mostrará qué preguntas ha respondido (completas), las que no ha respondido (incompletas) y las preguntas que usted marcó para revisarlas luego. Usted podrá regresar a las diferentes preguntas del examen, si el tiempo lo permite.

Acuerdo de las Reglas

Es el acuerdo que señala las reglas que usted debe seguir en el centro de evaluación. Se le pedirá firmar el acuerdo antes de ingresar a la sala de evaluación.

Nombre de Usuario

Es el nombre único que usted creará, junto con su contraseña, que usted utilizará para ingresar a Mi Cuenta en la página web de PearsonVUE para programar su Examen CDA.

Identificación (ID) Válida con Foto

Es la forma de identificación que usted presenta en el centro de evaluación con el fin de rendir el Examen CDA. Cualquier identificación que no haya expirado y que contenga su foto será aceptada. Por favor, note: El nombre en el ID debe coincidir exactamente con el nombre que usted ingresó en su solicitud.

La Visita de Verificación CDA™

Instrumento de Puntuación Global (IPG)

Es el formulario oficial utilizado por el Especialista CDA en Desarrollo Profesional™ para comprobar y registrar las Puntuaciones Recomendadas del Candidato en las 13 Áreas Funcionales utilizando el Portafolio Profesional del Candidato y una observación directa de su trabajo con niños.

Puntuaciones Recomendadas

Son las puntuaciones a nivel de Ítem determinadas por el Especialista CDA en Desarrollo Profesional (DP)™ utilizando el Instrumento de Puntuación Global. El Especialista CDA en DP™ presentará las Puntuaciones Recomendadas en línea al Concilio al término de la Visita de Verificación CDA™. Estas puntuaciones se consideran "recomendadas" ya que reflejan la recomendación del Especialistas CDA en DP™, pero de ninguna manera determinan plenamente si se otorgará una Credencial CDA. Las Puntuaciones Recomendadas de la Visita de Verificación CDA™ deben ser combinadas con la puntuación del Examen CDA con el fin de alcanzar la Puntuación que el Concilio utilizará para determinar si la Credencial CDA ha sido otorgada.

Diálogo Reflexivo

Es la conversación entre el Candidato y el Especialista CDA en DP™ al final de la Visita de Verificación CDA™, en donde el Candidato reflexiona sobre sus áreas de fortaleza y áreas para un desarrollo profesional con el propósito de establecer sus metas profesionales. El Diálogo Reflexivo no es calificado y por lo tanto no tiene relación ni relevancia en el otorgamiento de la Credencial CDA.

El Modelo R.O.R.™

"R.O.R." significa Revisar-Observar-Reflexionar™. Es el modelo utilizado para estructurar las tareas realizadas por el Especialista CDA en Desarrollo Profesional™ durante la Visita de Verificación CDA™ que contribuyen a la evaluación de la competencia del Candidato. El Especialista CDA en DP™ Revisará el Portafolio Profesional del Candidato, Observará al Candidato trabajando con niños y Reflexionará con el Candidato sobre sus fortalezas profesionales y las oportunidades para su crecimiento.

④ Obtención ⑤ Renovación

Credencial

Es el documento escrito del Concilio para el Reconocimiento Profesional que verifica que un profesional en aprendizaje y educación infantil ha cumplido las Normas de Competencia CDA.

Renovación

Es el proceso de revalidación de una Credencial CDA cuando esta expira. La Credencial CDA es válida por tres años a partir de la fecha de su otorgamiento o renovación. Usted puede solicitar la renovación de su credencial 90 días antes de que expire.

SOLICITE LA CREDENCIAL EN LÍNEA Y AHORRE TIEMPO Y DINERO

¡Use *YourCDA*®, la solicitud en línea del Concilio, para acelerar su proceso de certificación!

3 cosas que Ud. debe saber:

1. Desde el 29 de diciembre de 2017, la tarifa de evaluación de la solicitud de papel es de $500.

2. La tarifa de evaluación de la solicitud en línea es de $425.

3. Usted ahorra $75 si solicita la credencial en línea.

Con *YourCDA* usted puede. . .

- Llenar su solicitud en línea

- Revisar el estado de su solicitud en cualquier momento

- Permitir que su Director y su Especialista CDA puedan enviar sus testimonios electrónicamente

- Pagar la tarifa de evaluación de $42

- Ver consejos útiles sobre la solicitud

- Comunicarse con el Concilio

- Obtener actualizaciones automáticas para saber dónde está usted en el proceso de certificación

¡SOLICITE LA CREDENCIAL EN LÍNEA AHORA!
www.cdacouncil.org/yourcda

COUNCIL
for
PROFESSIONAL
RECOGNITION

Child Development Assoc
CDA
National Credentialing Prog

Solicitud de la Credencial de Asociado en Desarrollo Infantil® (CDA)

Por favor, escriba con letra legible y asegúrese de guardar una fotocopia para sus archivos. El tiempo de procesamiento de su solicitud se prolongará significativamente si no es legible. LAS SOLICITUDES QUE ESTÉN INCOMPLETAS O QUE NO INCLUYAN EL PAGO SERÁN DEVUELTAS.

A. Información del candidato

Escriba su nombre tal y como aparece en su identificación expedida por el gobierno. Puede ser que usted incurra en gastos adicionales si el nombre en la solicitud no concuerda con el nombre en su documento de identificación.

Primer nombre*: ☐☐☐☐☐☐☐☐☐☐☐☐☐☐ Segundo nombre: ☐☐☐☐☐☐☐☐☐☐

Apellidos*: ☐☐☐☐☐☐☐☐☐☐☐☐☐☐☐☐☐☐☐☐☐☐☐☐☐☐

Dirección postal*: ☐☐☐☐☐☐☐☐☐☐☐☐☐☐☐☐☐☐☐☐☐☐☐☐

Dirección (continuación): ☐☐☐☐☐☐☐☐☐☐☐☐☐☐☐☐☐☐☐☐☐☐

Ciudad*: ☐☐☐☐☐☐☐☐☐☐☐☐☐☐ Estado*: ☐☐ Código postal*: ☐☐☐☐☐

Correo electrónico: ☐☐☐☐☐☐☐☐☐☐☐☐☐☐☐☐☐☐☐☐☐☐☐☐

#Teléfono principal*: ☐☐☐☐☐☐☐☐☐☐ #Teléfono alternativo: ☐☐☐☐☐☐☐☐☐☐

Últimos 4 dígitos del número de seguro social *: ☐☐☐☐ Fecha de nacimiento*: ☐☐ ☐☐ ☐☐☐☐

* Indica campos requeridos — Mes — Día — Año

B. Tipo de credencial

Ambiente de trabajo

(marque sólo uno):

☐ Centro - Bebés y Toddlers
(Nacimiento a 36 meses)

☐ Centro - Preescolar
(3 a 5 años)

☐ Hogar de Cuidado y
Educación Infantil
(Nacimiento a 5 años)

Especialización de idioma (opcional):

☐ Monolingüe español

☐ Bilingüe (Inglés y español - ver pág. 34)

☐ Otro monolingüe (por favor indicar otro idioma) _____

☐ Otro bilingüe, Inglés y (por favor indicar otro idioma) _____

Tipo de programa en el que trabaja actualmente:

☐ Centro de cuidado y educación infantil privado ☐ Head Start

☐ Programa vocacional de secundaria ☐ Hogar de Cuidado y Educación Infantil

☐ Instalación militar _____

☐ Otro _____

C. Examen CDA

Tomaré el examen CDA en el siguiente idioma:

☐ Inglés ☐ Español

Arreglos especiales (opcional):

Necesito arreglos especiales para tomar mi examen CDA. Mi solicitud de arreglos especiales ha sido revisada y aprobada por el Concilio y adjunto el formulario aprobado y firmado por el Concilio. Por favor ver página 108 para más detalles.

☐ No

☐ Sí **Si es Sí:** *adjunte una explicación por escrito y los documentos oficiales requeridos para esta solicitud.*

D. Pago

Tarifa de solicitud: $500.00

Por favor, note que la tarifa de solicitud no es reembolsable ni transferible. Las solicitudes enviadas sin pago no serán procesadas. Sólo los pagos con cheque, giro postal o tarjeta de crédito serán aceptados. No se acepta efectivo.

☐ Adjunto se encuentra un cheque o giro postal no reembolsable a nombre del Concilio para el Reconocimiento Profesional.

☐ Una agencia/organismo está pagando todo o parte de mi tarifa de solicitud. He adjuntado mi carta de autorización de pago como sustitución a mi pago.

☐ Me gustaría pagar con tarjeta de crédito. ☐ VISA ☐ MASTERCARD ☐ DISCOVER

Número de tarjeta: ☐☐☐☐ ☐☐☐☐ ☐☐☐☐ ☐☐☐☐   Importe en dólares: $ _____

Fecha de EXP: ☐☐☐☐   Código de seguridad: ☐☐☐ (número de 3 dígitos en la parte posterior de la tarjeta)
Mes   Año

Nombre en la tarjeta: _____

Dirección de facturación: _____

Ciudad: _____ Estado: _____ Código postal: _____

Firma autorizada: _____

E. Educación

Note que la evidencia de su educación será verificada por su Especialista CDA en desarrollo profesional™ durante su Visita de verificación CDA™. Usted deberá mostrar registro de notas, cartas y certificados válidos que documenten el completamiento de su educación.

Por favor, verifique que usted haya completado un mínimo de 10 horas de educación en cada una de las siguientes ocho áreas temáticas.

Certifico que he completado un mínimo de 10 horas de educación relacionadas con:

☐ Planificar un ambiente de aprendizaje saludable y seguro.

☐ Fomentar el desarrollo físico e intelectual de los niños.

☐ Apoyar el desarrollo social y emocional de los niños.

☐ Edificar relaciones productivas con las familias.

☐ Manejar un programa eficaz.

☐ Mantener un compromiso profesional.

☐ Observar y registrar la conducta de los niños.

☐ Comprender los principios del desarrollo y aprendizaje infantil

Total de horas de educación:

☐ Certifico que he completado al menos 120 horas reloj de preparación profesional en educación infantil.

Requerido:

☐ Toda mi educación cumple los requisitos del Concilio como se indica en las páginas 10-11.

☐ Ninguna de mis horas de educación se obtuvo en conferencias o de personas que fungen como consultores particulares.

☐ He incluido registro de notas, certificados o cartas oficiales que documentan mi educación en mi portafolio profesional. Comprendo que mi Especialista CDA en desarrollo profesional™ los revisará durante mi Visita de

F. Requisitos de elegibilidad

☐ Tengo mínimo un diploma de secundaria/GED o estoy matriculado en un programa vocacional/técnico de secundaria en educación infantil/desarrollo del niño.

☐ Soy capaz de hablar, leer y escribir en el idioma de mi evaluación lo suficientemente bien para cumplir las responsabilidades de un profesional con credencial CDA.

☐ Tengo mi certificado actual de culminación o tarjeta de a) un curso de primeros auxilios y b) un curso de RCP (Resucitación Cardiopulmonar) de bebés y niños (pediátrico).

☐ He distribuido y recolectado mis cuestionarios para la familia dentro de los últimos seis meses.

☐ Número de cuestionarios para la familia distribuidos y recolectados: _____

☐ Tengo 480 horas de experiencia dentro de los últimos tres (3) años trabajando con niños en el mismo ambiente de trabajo y grupo de edad que estoy solicitando.

☐ He completado mi portafolio profesional dentro de los últimos seis meses y de acuerdo a los requisitos del Concilio.

   Mi portafolio profesional incluye:

   ☐ La mayoría de los cuestionarios para la familia distribuidos

   ☐ Seis testimonios de competencia reflexivos

   ☐ Todos los ítems de la recopilación de recursos

   ☐ Un testimonio de filosofía profesional

☐ Mi portafolio profesional cumple con todos los requisitos adicionales para la evaluación de Bebés y *Toddlers*.

☐ Comprendo que las personas convictas por un crimen de abuso o negligencia infantil no son elegibles para solicitar, obtener o mantener la credencial CDA. Si se me otorga la credencial CDA, acepto cumplir las normas de CDA lo mejor que pueda. También acepto comportarme de una manera profesional y acatar el *Código de Conducta Ética de NAEYC*. Testifico que todas las respuestas dadas a todas las preguntas en esta solicitud son verídicas a mi leal saber y entender.

Firma del candidato: _____   Fecha:_____

G. Mi Especialista CDA en desarrollo profesional™

Con el fin de completar el proceso de certificación CDA, los candidatos deben participar en una Visita de verificación CDA™ en la que sus portafolios profesionales serán revisados, ellos serán observados trabajando con niños y participarán en un diálogo reflexivo con un Especialista CDA en desarrollo profesional™. Sólo se aceptarán solicitudes que incluyan a un Especialista CDA confirmado para cada candidato (por favor, ver pág. 21 para información sobre cómo encontrar su Especialista CDA). Una vez que contacte a su Especialista CDA y confirme su aceptación y disponibilidad para servir en esta función, pídale su nombre completo y su número de identificación:

Nombre completo del Especialista CDA desarrollo profesional™: _____

de Identificación del Especialista CDA en desarrollo profesional™: _____

NOTA: Para aquellas personas que están solicitando una credencial monolingüe o bilingüe, también deben confirmar que el Especialista CDA desarrollo profesional™ antes mencionado es competente en el idioma o idiomas que se van a usar en la Visita de verificación CDA™.

☐ Mediante el presente documento, confirmo que he estado en contacto directo con la persona mencionada anteriormente y que él/ella ha aceptado servir como mi Especialista CDA en desarrollo profesional™. Si he marcado este recuadro falsamente, estoy consciente de que yo no puedo calificar para recibir la credencial CDA y de que mi tarifa de solicitud no será reembolsada.

H. Información demográfica opcional

La información brindada abajo es opcional y no será compartida. Los datos agregados serán usados por el Concilio únicamente para propósitos estadísticos. Su nombre se mantendrá confidencial.

Género: ☐ Masculino ☐ Femenino

Raza/Etnia:

☐ Afroamericano ☐ Asiático

☐ Hispano ☐ Indio/Nativo americano

☐ Blanco ☐ Otro: _____

Idioma materno: _____

Segundo idioma (si aplica): _____

Nivel más alto de educación alcanzado:

☐ Secundaria ☐ Dos años de escuela superior

☐ Cuatro años de escuela superior ☐ Licenciatura/Posgrado

Profesional CDA/educación en el puesto de trabajo:

☐ Cuatro años de escuela superior ☐ Head Start

☐ Dos años de escuela superior ☐ Escuela vocacional/técnica

☐ Agencia/organismo de Educación Infantil (no Head Start)

☐ Otro: _____

Si está trabajando con niños, título actual:

☐ Supervisor / Coordinador / Especialista en educación

☐ Maestro auxiliar/Ayudante

☐ Maestro en un salón de clases

☐ Director del Centro/Programa ☐ Visitador de hogares

☐ Educador en un Hogar de Cuidado y Educación Infantil

☐ Estudiante ☐ Otro: _____

I. Permiso del director (para ser llenado por el director, escribir en letra legible)

Nombre completo: _____

Correo electrónico: _____

Centro o Programa de Cuidado y Educación Infantil

Nombre del centro/programa: _____

Teléfono del centro/programa: _____ Teléfono del director: _____

¿Su centro o programa está autorizado o cumple los requisitos del estado?
☐ Sí ☐ No

Si es no, ¿el centro o programa está exonerado de licencia?
☐ Sí ☐ No

NOTA: *Las Visitas de verificación CDA™ no pueden llevarse a cabo en centros que no están autorizados ni cumplen los requisitos estatales.*

Declaración del director

Comprendo que un Especialista CDA en desarrollo profesional™ llevará a cabo una Visita de verificación CDA™ en mi centro/programa. La Visita de verificación CDA™ concluirá con una revisión del portafolio del candidato, una observación en el salón de clases y un diálogo reflexivo.

☐ Acepto encontrar un espacio privado y tranquilo para que el Especialista CDA en desarrollo profesional™ pase una hora revisando el portafolio del candidato, el Especialista CDA en desarrollo profesional™ debe solicitar este espacio.

☐ Comprendo que la observación durará dos horas y debe llevarse a cabo mientras el candidato dirige activamente las actividades de los niños.

☐ Si el candidato necesita participar en el diálogo reflexivo requerido durante su horario de trabajo, comprendo que necesitaré proporcionar un espacio privado y 45-50 minutos de tiempo durante el cual el candidato estará lejos de su grupo de niños.

Confirmo que soy el director identificado o nombrado en este formulario. Toda la información que he proporcionado aquí es correcta. Me comprometo a respetar la confidencialidad del candidato conforme él o ella avance en el proceso de certificación CDA.

Firma: _____ Fecha: _____

Mi Portafolio Profesional CDA

Nombre del Candidato	Número de Identificación (ID) del Candidato

Utilice la siguiente lista de verificación para organizar su Portafolio Profesional en el orden que se menciona abajo. Usted puede marcar cada ítem en la última columna conforme lo vaya completando. Utilice esta hoja de carátula "Mi Portafolio Profesional CDA" dentro de su Portafolio. Por favor, vea las págs. 12-20 para obtener una explicación más detallada.

PESTAÑA	ÍTEM DEL PORTAFOLIO REQUERIDO		✓
	Hoja de carátula **"Mi Portafolio Profesional CDA"** (este documento)		
A	Hoja de carátula **"Resumen de Mi Educación CDA"** seguida de todos los registros de notas de capacitación relevantes.		
B	Hoja de carátula **"Cuestionarios para la Familia"** seguida de todos los Cuestionarios para la Familia completados y devueltos		
C	Reflexioné sobre los comentarios que recibí de los Cuestionarios para la Familia y escribí mis Áreas de Fortaleza y mis Áreas de Desarrollo Profesional en los recuadros A y B de la hoja de trabajo del Diálogo Reflexivo.		
D	**NC I Ítems de Recopilación de Recursos**	RR I-1, RR I-2, RR I-3	
	Testimonio Reflexivo de Competencia I	NC I, incluyendo párrafos NC I a, NC I b, NC I c	
E	**NC II Ítems de Recopilación de Recursos**	RR II-1 hasta RR II-9	
	Testimonio Reflexivo de Competencia II	NC II, incluyendo párrafos NC II a, NC II b, NC II c, NC II d	
F	**NC III Ítem de Recopilación de Recursos**	RR III	
	Testimonio Reflexivo de Competencia III	NC III, incluyendo párrafos NC III a, NC III b	
G	**NC IV Ítems de Recopilación de Recursos**	RR IV-1 hasta RR IV-4	
	Testimonio Reflexivo de Competencia IV	NC IV, incluyendo párrafos NC IV a, NC IV b, NC IV c	
H	**NC V Ítem de Recopilación de Recursos**	RR V	
	Testimonio Reflexivo de Competencia V	NC V, incluyendo párrafos NC V a	
I	**NC VI Ítems de Recopilación de Recursos**	RR VI-1, RR VI-2, RR VI-3	
	Testimonio Reflexivo de Competencia VI	NC VI, incluyendo párrafos NC VI a, NC VI b	
J	**Testimonio de Filosofía Profesional**		

Testifico que el siguiente Portafolio Profesional ha sido preparado por mí mismo, e incluye los ítems de Recopilación de Recursos que he reunido, así como los Testimonios que he escrito y que reflejan mi propio trabajo con niños y familias que estás a mi cuidado.

Firma del Candidato	Fecha

ESTA PÁGINA SE HA DEJADO EN BLANCO A PROPÓSITO

Resumen de Mi Educación CDA

Nota par el Candidato: Por favor, utilice este documento de resumen como la hoja de carátula para su "documentación de educación", la recopilación de registro de notas, cartas, certificados, etc. que usted coloque en su Portafolio Profesional servirá para documentar cómo cumplió usted con los requisitos de educación para la Credencial CDA. En su Visita de Verificación CDA™, su Especialista CDA en Desarrollo Profesional™ revisará esta hoja para asegurarse de que ésta refleje exactamente su documentación de educación como sigue a continuación. Por favor, vea la pág. 11 para obtener una explicación detallada de educación profesional aceptable.

Testimonio de Culminación de Educación CDA:

Testifico que he completado las 10 horas requeridas de educación en cada una de las siguientes Áreas Temáticas CDA.

Áreas Temáticas CDA	Escriba sus iniciales abajo
1. Planificar un ambiente de aprendizaje seguro y saludable	
2. Fomentar el desarrollo físico e intelectual de los niños	
3. Apoyar el desarrollo social y emocional de los niños	
4. Edificar relaciones productivas con las familias	
5. Manejar un programa eficaz	
6. Mantener un compromiso profesional	
7. Observar y registrar la conducta de los niños	
8. Comprender los principios del desarrollo y aprendizaje infantil	

Testifico de la exactitud de los Testimonios de Culminación de mi educación arriba mencionados: completé un mínimo de 10 horas reloj de educación profesional en cada una de las 8 Áreas Temáticas. También, testifico que he cumplido o excedido un total de 120 horas reloj de educación profesional relacionadas al CDA.

Firma del Candidato   Fecha

ESTA PÁGINA SE HA DEJADO EN BLANCO A PROPÓSITO

Cuestionario para la Familia

Introducción

_____ se está preparando para obtener la nacionalmente reconocida credencial de Asociado en Desarrollo Infantil (CDA)™. Con el fin de recibir esta credencial CDA®, él/ella ha tomado un desafío profesional significativo: Él/ella debe tener experiencia trabajando con niños pequeños, debe tener una cantidad de cursos requeridos de educación infantil, debe preparar un Portafolio Profesional, debe ser observado(a) por un profesional calificado (un Especialista CDA en Desarrollo Profesional™) mientras trabaja con niños y debe aprobar el Examen CDA®.

El proceso para obtener la credencial CDA® también es una experiencia de desarrollo profesional en la que el Candidato reflexiona sobre sus áreas de fortaleza y sus áreas para un futuro desarrollo profesional. Además de la auto-reflexión, a los Candidatos se les brinda comentarios sobre su desempeño que deben considerar. Estos comentarios los ofrece el Especialista CDA en Desarrollo Profesional™ y usted, si usted decide colaborar. Por ello, le invitamos a completar el cuestionario que se encuentra abajo, con el fin de brindar comentarios que puedan ayudar al Candidato a continuar su desarrollo como profesional.

Por favor, sepa que:

a) Completar este cuestionario es opcional. Si usted decide completarlo, sus comentarios solo serán leídos por el Candidato con el fin de proporcionar información importante que pueda ayudarlo(a) a establecer sus metas profesionales para el próximo año. **Las respuestas que usted brinde en este cuestionario no tendrán impacto en la decisión de otorgar o no la Credencial CDA® al Candidato.**

b) Usted puede brindar sus comentarios de manera anónima, si lo desea.

Si usted elige completar el cuestionario, debe devolverlo al Candidato antes del _____.

Cuestionario para la Familia

Cada uno de los siguientes temas se relaciona a las áreas claves de prácticas profesionales de calidad en educación infantil indicadas por el Concilio para el Reconocimiento Profesional. Para cada área, por favor califique al Candidato en una escala de 1 – 3 en la cual: 1 = Necesita mejorar/Área para el desarrollo profesional, 2 = Capaz/Competente y 3 = Muy capaz/Área de fortaleza.

El Candidato:

1. Brinda un ambiente seguro y limpio para mi hijo y le enseña cómo permanecer seguro.

1	2	3

2. Brinda un ambiente que fomenta la salud y la buena nutrición.

1	2	3

3. Brinda actividades, materiales y horarios que fomentan el desarrollo y la educación de mi hijo.

1	2	3

4. Utiliza actividades, materiales y equipo que permiten a mi hijo desarrollar las habilidades de su motricidad fina (como escribir o verter líquidos) y las habilidades de su motricidad gruesa (como trepar o balancearse).

1	2	3

5. Utiliza actividades, materiales y equipo que ayudan a mi hijo a aprender cómo pensar, razonar y resolver problemas.

1	2	3

6. Ayuda a mi hijo a aprender cómo comunicarse y le presenta los conceptos básicos de lectura y escritura.

1	2	3

7. Ayuda a mi hijo a expresarse de manera creativa a través de la música, arte y movimiento.

1	2	3

8. Brinda afecto a mi hijo, ayudándolo a edificar una identidad positiva de sí mismo y respetar los orígenes culturales de cada niño.

1	2	3

9. Ayuda a mi hijo a aprender a cómo socializar y llevarse bien con otras personas.

1	2	3

10. Utiliza estrategias eficaces para ayudar a mi hijo a comprender cómo comportarse de manera apropiada.

1	2	3

11. Establece relaciones positivas, receptivas y cooperativas conmigo y los miembros de nuestra familia.

1	2	3

12. Es bien organizado y dirige eficazmente el salón de clases o grupo.

1	2	3

13. Se comporta de una manera profesional.

1	2	3

14. (sólo para Candidatos de Especialización Bilingüe) Se comunica respetuosamente con mi familia en nuestro idioma de preferencia.

1	2	3

_____

Nombre (opcional)

Gracias por tomarse tiempo para apoyar el crecimiento profesional del Candidato. Si le gustaría brindar comentarios adicionales, por favor no dude en adjuntarlos a este cuestionario.

COUNCIL
— for —
PROFESSIONAL
RECOGNITION

Hoja de Resumen de Cuestionarios para la Familia

_____   _____
Nombre del Candidato   Número ID del Candidato

Una vez que usted haya distribuido y recolectado sus Cuestionarios para la Familia, colóquelos detrás de la Pestaña B en su Portafolio Profesional. Complete esta Hoja de Resumen y póngala delante de los cuestionarios completados.

1. Distribuí _____ Cuestionarios para la Familia.

2. Recolecté _____ Cuestionarios para la Familia y los coloqué detrás de esta Hoja de Resumen. Por lo tanto, recolecté la "mayoría" (más de la mitad) de los Cuestionarios que distribuí.

3. He buscado patrones o tendencias de comentarios en estos Cuestionarios. Después de reflexionar, pienso que algunas de las familias ven lo siguiente como mi(s) mayor(es) fortaleza(s) profesional(es) y área(s) para mi desarrollo profesional:

Área(s) de Fortaleza (mencione por lo menos una)

_____

_____

_____

Área(s) para mi Desarrollo Profesional (mencione por lo menos una)

_____

_____

_____

4. He tomado las áreas de fortaleza y desarrollo que escribí arriba y las he colocado en los Recuadros A y B de mi Hoja de Trabajo de Diálogo Reflexivo al final de este libro.

Nota para el Especialista CDA en DP™:

Por favor, no lea el contenido de los Cuestionarios para la Familia que se encuentran detrás de esta Hoja de Resumen, Los comentarios son privados, entre este Candidato y las familias que sirve. Simplemente cuente los Cuestionarios y verifique que el número de cuestionarios que se encuentran detrás de esta Hoja de Resumen coincidan con el número escrito en el #2, arriba. Si el número coincide, considere como completa esta tarea requerida. Si el número no coincide registre esta información en el Ítem 13.4 del _Instrumento de Puntuación Global_.

ESTA PÁGINA SE HA DEJADO EN BLANCO A PROPÓSITO

Hoja de Trabajo del Diálogo Reflexivo de la Visita de Verificación CDA™

Nota para el Candidato: El último paso del proceso de la Visita de Verificación CDA™ es el Diálogo Reflexivo, la actividad culminante diseñada para apoyar su reflexión continua sobre sus prácticas profesionales. Por favor, sepa que el diálogo que usted tendrá con su Especialista CDA en Desarrollo Profesional (DP)™ será conservado de manera confidencial entre ustedes dos, no será calificado y no tiene peso en el otorgamiento de su Credencial CDA®. Usted conservará esta Hoja de Trabajo luego del diálogo – nadie más verá esta hoja de trabajo a menos que decida compartirla. Por lo tanto, no dude en reflexionar con honestidad y franqueza sobre sus fortalezas profesionales y sus áreas de desarrollo. No existen respuestas "correctas" o "incorrectas" en un diálogo reflexivo – sólo su compromiso para su propio desarrollo profesional y las metas que establecerá para usted mismo.

Paso 1: Identificar las Áreas de Fortaleza y las Áreas para un Futuro Desarrollo Profesional

Con el fin de identificar las mejores metas para usted, podría ser útil explorar primero las diferentes perspectivas – (1) opiniones de las familias que usted sirve, (2) sus propios pensamientos y (3) comentarios de su Especialista CDA en DP™, quien ya ha leído su Portafolio Profesional y lo ha observado trabajando con niños. Antes de su Visita de Verificación CDA™, por favor lea los Cuestionarios para la Familia que recibió. Busque tendencias o patrones de respuestas y escríbalas, en los recuadros A y B abajo, así como las áreas de fortaleza y las áreas para un desarrollo profesional que le gustaría escribir. Usted completará la segunda y tercera columna durante el Diálogo Reflexivo.

	1. Cuestionarios para la Familia (para ser completado por el Candidato antes de la Visita de Verificación CDA™)	2. Autorreflexión del Candidato (para ser completado por el Candidato durante el Diálogo Reflexivo)	3. Comentarios de mi Especialista CDA en DP™ (para ser completado por el Candidato durante el Diálogo Reflexivo)
¿Cuál(es) es(son) su(s) Área(s) de Fortaleza Profesional?	A	C	E
¿Cuál(es) es (son) su(s) Área(s) para un Futuro Desarrollo Profesional?	B	D	F

Paso 2: Establecer Metas, Pasos del Plan de Acción

Ahora que usted ha enumerado sus fortalezas percibidas y las áreas para un futuro desarrollo, ¿qué meta o metas podría establecer para usted mismo? ¿Existe una fortaleza que usted esté comprometido a fortalecer aún más? ¿Existe un área que haya identificado que esté comprometido a mejorar? En los espacios de abajo, escriba hasta tres metas profesionales que esté comprometido a alcanzar. Luego de escribir cada meta, converse con su Especialista CDA en DP™ sobre los pasos que podría tomar para alcanzar esa meta.

Meta #1:	Pasos que podría tomar para alcanzar la Meta #1:
Meta #2:	Pasos que podría tomar para alcanzar la Meta #2:
Meta #3:	Pasos que podría tomar para alcanzar la Meta #3:

Paso 3: Compromiso para alcanzar su(s) Meta(s)

Yo, _____, mediante el presente documento me comprometo a alcanzar mi(s) meta(s) con el fin de crecer más como un profesional y llegar a ser aún más eficaz al servir las necesidades de los niños y familias que están a mi cuidado.

_____   _____
Candidato CDA® (firmar aquí)   ami Especialista CDA en DP™ como testigo (firmar aquí)

Esta hoja de trabajo le pertenece, consérvela. Ser un profesional reflexivo y cumplir las metas que usted ha establecido para sí mismo depende de usted, independientemente si se le otorga o no la Credencial CDA®. El Concilio lo motiva a compartir sus metas con un mentor, colega o supervisor que lo apoyará y se hará responsable del cumplimiento de sus metas y celebrará con usted cuando las haya cumplido.

COUNCIL
for
PROFESSIONAL
RECOGNITION

Instrumento de Puntuación Global

Nombre del Candidato: _____

Tipo de Credencial: ☐ Bebés/Toddlers   ☐ Preescolar
☐ Programa de Hogar de Cuidado y Educación Infantil

Especialización Bilingüe: ☐ Sí   ☐ No

Fecha de Revisión del Portafolio: _____

Fecha de Observación: _____

Instrucciones para el Especialista CDA en Desarrollo Profesional (DP)™:

El Instrumento de Puntuación Global (IPG) CDA es la herramienta que usted utilizará para determinar las competencias del Candidato que se menciona arriba, usando múltiples recursos de evidencia:

(1) el contenido del Portafolio Profesional del Candidato

(2) su observación directa del Candidato trabajando con niños pequeños y

(3) sus percepciones especializadas sobre los ambientes de cuidado / educación que el Candidato es responsable de diseñar / conservar (cuando corresponda)

Estructura del IPG

El IPG fue diseñado para reflejar las Normas de Competencia CDA reconocidas a nivel nacional, que se encuentran en la página 41 de este libro, que proporcionan un punto de partida y referencia de las competencias para todos los profesionales que trabajan educando y cuidando grupos de niños pequeños..

Con el fin de elaborar de una mejor manera sobre la clave de las prácticas profesionales identificadas, las Normas de esta herramienta han sido organizadas de acuerdo a la siguiente jerarquía:

Área Funcional

Ítem/Ítem/Ítem

Indicador

Los Especialistas CDA en DP™ son responsables de utilizar la herramienta Instrumento de Puntuación Global para determinar y presentar al Concilio las Puntuaciones Recomendadas (1 – 3) en el nivel del Ítem. Con el fin de ayudarlo en esta tarea, se recomienda que usted revise y observe en el nivel Indicador, utilizando más tarde su juicio profesional para asignar las puntuaciones de los Ítems basadas en los promedios o patrones que usted ha registrado de los Indicadores relacionados a esos Ítems.

Con el fin de determinar de una mejor manera las puntuaciones de los Indicadores, usted deberá consultar los diferentes ejemplos opcionales que figuran en la sección Normas de Competencia del libro. Por favor, recuerde que estos ejemplos son opcionales y se proporcionan únicamente para propósitos de ilustración. Ellos no se diseñaron para ser una lista incluida que todo Candidato debe mostrar con el fin de que se le asigne una Puntuación Recomendada.

Por favor, tenga en cuenta de que el IPG ha sido diseñado como una herramienta universal que puede ser utilizada para todas las Credenciales CDA: Preescolar, Bebés/Toddlers y Programa de Hogar de Cuidado y Educación Infantil. Los Indicadores se deben interpretar utilizando los ejemplos específicos enumerados en el libro y relacionados al tipo de Credencial (en otras palabras, los ejemplos de preescolares deben ser diferentes a los ejemplos de bebés/toddlers). También, se han proporcionado ejemplos adicionales y se deben considerar para algunos Ítems al revisar y observar a un Candidato que solicite una Especialización Bilingüe.

Deje estas páginas del IPG adjuntas al libro durante la Visita de Verificación CDA™, con el fin de consultar de manera rápida los ejemplos para cualquier aclaración cuando sea necesario.

Uso del IPG

Usted calificará al Candidato en una Escala de 1 – 3:

| 1 | 2 | 3 |

    1 = Poca o ninguna evidencia

    2 = Alguna evidencia

    3 = Gran cantidad de evidencia

Los Especialistas CDA en DP™ pueden acceder a las instrucciones completas del uso del IPG en la Biblioteca de Especialista CDA en Desarrollo Profesional™. Nota: Cuando se presenta una puntuación de 1 al Concilio en línea, el Especialista CDA en DP™ deberá agregar una breve nota explicando la razón y/o ejemplos para esa puntuación.

Secciones del IPG

Con el fin de hacer que su uso de la herramienta sea tan eficaz como sea posible durante la Visita de Verificación CDA™, el IPG ha sido organizado en tres secciones codificadas por colores:

Ambientes de Trabajo y Actividades

Esta sección incluye todos los Ítems que no se basan en el comportamiento del Candidato. En otras palabras, usted podrá evaluar estos Ítems sin la presencia del Candidato, leyendo los temas relacionados en el Portafolio Profesional del Candidato y/o observando el ambiente de los niños (espacios, muebles, equipo, material, etc.) que se encuentra bajo la responsabilidad del Candidato.

NOTA: Si el Candidato no es responsable de diseñar/ conservar el ambiente o los ambientes en donde tiene lugar la Observación, usted deberá apoyarse más en la información escrita/recursos relacionados que se encuentran en sus Testimonios de Competencia Reflexivos sobre "Norma de Competencia I: Seguridad, Ambientes de Aprendizaje Saludables" al momento de revisar el Portafolio.

Acciones e Interacciones

Esta sección será la sección fundamental utilizada durante su observación del Candidato trabajando con niños (mínimo dos horas). Todos los Ítems en esta sección están relacionados al comportamiento del Candidato, la manera cómo usted lo(a) observa al actuar e interactuar con los niños.

Revisión

Esta sección incluye todos los Ítems que normalmente no se pueden observar. Con el fin de determinar las Puntuaciones Recomendadas para cada uno de estos Ítems, usted probablemente deberá apoyarse únicamente en lo que lee en el Portafolio Profesional del Candidato durante la sesión de Revisión de una hora.

Pasos Finales

El paso final, una vez que usted ha completado las sesiones Revisión y Observación utilizando el IPG, es facilitar la Sesión Reflexión con el Candidato. Durante esta sesión, usted puede hacer preguntas para hacer aclaraciones que lo ayuden a completar el IPG. Usted también hablará sobre el Testimonio de Filosofía Profesional del Candidato y brindará comentarios al Candidato sobre un "Área de Fortaleza Profesional" y un "Área de Desarrollo Profesional" basados en su revisión y observación. Para prepararse, no dude en utilizar la hoja "Mis Recordatorios para Prepararme para el Diálogo Reflexivo" que se encuentra en la última página de este IPG.

Luego de finalizar la Visita de Verificación CDA™, usted debe desglosar el IPG de este libro utilizando las perforaciones en el interior de cada página. Después, usted deberá devolver el libro al Candidato y tomará el IPG consigo para poder utilizarlo cuando usted presente estas Puntuaciones Recomendadas del Candidato al Concilio mediante la Herramienta Presentación que se encuentra en Portal en línea del Especialista CDA en DP™.

Con el fin de proteger la confidencialidad del Candidato, el Especialista CDA en DP™ no debe compartir o hacer copias de las notas o de las Puntuaciones Recomendadas registradas en el IPG a ninguna persona, incluyendo al Candidato. Una vez que las Puntuaciones Recomendadas hayan sido presentadas al Concilio en línea, se le pedirá al Especialista CDA en DP™ triturar o destruir esta herramienta de IPG.

Área Funcional 1: SEGURIDAD

Ítem 1.1 Los ambientes son seguros para todos los niños y adultos. (pág. 42)

1	2	3

Indicador:

a) _____ Los materiales, equipo y ambientes son seguros

Ítem 1.2 Existe evidencia de procedimientos de emergencia bien planificados y organizados, al igual que materiales (pág. 43)

1	2	3

Indicadores:

a) _____ Los procedimientos para incendios y otras emergencias se encuentran a la vista.

b) _____ Los suministros de primeros auxilios y medicinas son almacenados de manera adecuada y accesible únicamente a adultos.

Notas Opcionales: SEGURIDAD (Ítems 1.1, 1.2 arriba)

Notas de Revisión	Notas de Observación

Área Funcional 2: Salud

Ítem 2.1 El ambiente de trabajo de los niños fomenta la buena salud. (pág. 46)

1	2	3

Indicadores:

a) _____ Los materiales, equipo y ambientes están limpios y fomentan la buena salud

b) _____ Los productos para desinfectar y esterilizar están presentes y se almacenan de manera adecuada

c) _____ La información médica relevante de las familias de los niños está actualizada y a la vista

Notas Opcionales: SALUD (Ítem 2.1 arriba)

Notas de Revisión	Notas de Observación

Ambientes de Trabajo y Actividades

Área Funcional 3: AMBIENTES DE APRENDIZAJE

Ítem 3.1 Los ambientes son apropiados al nivel de desarrollo de niños pequeños. (pág. 50)

| 1 | 2 | 3 |

Indicadores:

a) _____ Los ambientes son agradables, acogedores y fomentan los niveles adecuados de estimulación

b) _____ Los ambientes son adaptados y organizados de manera intencional para satisfacer las necesidades de los niños

Ítem 3.2 Los materiales apropiados para el nivel de desarrollo de los niños están disponibles. (pág. 52)

| 1 | 2 | 3 |

Indicadores:

a) _____ Los materiales son apropiados para el desarrollo de todos los niños

b) _____ Se proporciona una variedad de materiales para que los niños exploren

c) _____ Existe un número suficiente de materiales que se adapta al tamaño del grupo

d) _____ Los materiales están organizados y son accesibles para los niños durante el día

Ítem 3.3 El horario diario y el plan o planes semanales son apropiados al nivel de desarrollo de los niños. (pág. 53)

| 1 | 2 | 3 |

Indicadores:

a) _____ El horario permite satisfacer las necesidades habituales de los niños

b) _____ El horario proporcionado satisface las necesidades de los niños para el juego

c) _____ Los momentos para actividades grupales, cuando se presentan, son apropiados al nivel de desarrollo de los niños

d) _____ Las planificaciones semanales proporcionan una variedad de experiencias apropiadas al nivel de desarrollo de los niños

e) _____ Las siestas agradables o momentos de tranquilidad satisfacen las necesidades de los niños para el descanso

Notas Opcionales: AMBIENTES DE APRENDIZAJE (Ítems 3.1, 3.2, 3.3 arriba)

Notas de Revisión	Notas de Observación

Ambientes de Trabajo y Actividades

Área Funcional 4: Físico

Ítem 4.1 Las actividades, materiales y equipo estimulan a los niños con diferentes capacidades a desarrollar su motricidad gruesa. (pág. 59)

1	2	3

Indicador:

a) _____ Las habilidades de motricidad gruesa se fomentan a través de materiales, equipo y actividades al interior y al aire libre apropiados a su desarrollo

Ítem 4.2 Las actividades y materiales estimulan a los niños con diferentes capacidades a desarrollar su motricidad fina. (pág. 60)

1	2	3

Indicador:

a) _____ Las habilidades de motricidad fina individuales se fomentan a través de una variedad de materiales y actividades apropiados a su desarrollo

Ítem 4.3 Las actividades y materiales fomentan que los niños desarrollen sus sentidos. (pág. 60)

1	2	3

Indicador:

a) _____ Las experiencias de ver, oír, oler, probar y tocar se fomentan mediante una variedad de actividades y materiales apropiados al nivel de desarrollo de los niños

Notas Opcionales: FÍSICO (Ítems 4.1, 4.2, 4.3 arriba)

Notas de Revisión	Notas de Observación

Área Funcional 5: COGNOSCITIVO

Ítem 5.1 Las actividades fomentan la curiosidad, la exploración y el descubrimiento. (pág. 62)

1	2	3

Indicador:

a) _____ Las actividades comprenden experiencias prácticas apropiadas al desarrollo del niño

Ítem 5.2 **Los materiales y equipo estimulan el pensamiento y la resolución de problemas de los niños.** (pág. 63)

1	2	3

Indicadores:

a) _____ Los materiales y equipo brindan una variedad de oportunidades para el desarrollo cognoscitivo

b) _____ Los materiales elegidos son significativos para los niños

Notas Opcionales: COGNOSCITIVO (Ítems 5.1, 5.2 arriba)

Notas de Revisión	Notas de Observación

Área Funcional 6: COMUNICACIÓN

Ítem 6.1 **Los materiales fomentan la lecto-escritura infantil.** (pág. 66)

1	2	3

Indicadores:

a) _____ Se brindan materiales de literatura/narración de cuentos y para elaborar libritos

b) _____ Los libros apropiados al nivel de desarrollo de los niños están disponibles

Ítem 6.2 **Las actividades fomentan el desarrollo del lenguaje.** (pág. 67)

1	2	3

Indicadores:

a) _____ Se lee a los niños todos los días

b) _____ Las actividades mejoran el desarrollo de adquisición de lenguaje y las destrezas de escritura

c) _____ Las actividades fomentan con frecuencia oportunidades para que los niños escuchen, hablen y expresen sus ideas de manera eficaz

d) _____ Las actividades apoyan las necesidades de niños aprendices de dos idiomas (cuando corresponda)

Notas Opcionales: COMUNICACIÓN (Ítems 6.1, 6.2 arriba)

Notas de Revisión	Notas de Observación

Ambientes de Trabajo y Actividades

Área Funcional 7: CREATIVIDAD

Ítem 7.1 Las actividades y materiales estimulan que los niños se expresen mediante las artes visuales. (pág. 73)

1	2	3

Indicador:

a) _____ Los materiales de arte y las actividades artísticas están diariamente disponibles para los niños

Ítem 7.2 Las actividades y materiales fomentan el baile, movimiento y desarrollo de las habilidades musicales de los niños. (pág. 74)

1	2	3

Indicador:

a) _____ Las actividades y materiales de música y baile/movimiento están diariamente disponibles para los niños

Ítem 7.3 Las actividades y materiales proporcionados estimulan el desarrollo de la imaginación de los niños. (pág. 74)

1	2	3

Indicador:

a) _____ Las actividades y materiales de juego dramático están diariamente disponibles para los niños

Notas Opcionales: CREATIVIVAD (Notas Opcionales: CREATIVIVAD)

Notas de Revisión	Notas de Observación

Área Funcional 8: CONCEPTO DE SÍ MISMO

Ítem 8.1 El ambiente de los niños respalda el desarrollo de conceptos positivos de sí mismos. (pág. 78)

1	2	3

Indicadores:

a) _____ Los espacios y las actividades ayudan a cada niño a desarrollar un sentido de auto identidad/valor

b) _____ Los materiales elegidos ofrecen oportunidades a los niños para experimentar el éxito

Ambientes de Trabajo y Actividades

Especialista CDA en DP™: Arranque este Instrumento de Puntuación Global del libro al finalizar la Visita de Verificación CDA™ de este candidato.

Notas Opcionales: CONCEPTO DE SÍ MISMO (Ítem 8.1, arriba)

Notas de Revisión	Notas de Observación

Área Funcional 9: SOCIAL

Ítem 9.1 **El ambiente del salón de clases brinda oportunidades para que los niños experimenten cooperación.** (pág. 83)

1	2	3

Indicador:

a) _____ Los materiales, equipo y actividades fomentadas ayudan a que los niños experimenten el trabajo y el juego en armonía

Ítem 9.2 **Se fomenta un ambiente sin prejuicios.** (pág. 83)

1	2	3

Indicador:

a) _____ Las diferentes actividades, materiales, planes de estudio y/o eventos reflejan múltiples grupos culturales, grupos étnicos y diferentes estructuras familiares

Notas Opcionales: SOCIAL (Ítems 9.1, 9.2 arriba)

Notas de Revisión	Notas de Observación

Ambientes de Trabajo y Actividades

Área Funcional 10: GUÍA

Ítem 10.1 Los espacios y materiales están organizados de tal forma que fomentan las interacciones positivas y limitan las conductas desafiantes. (pág. 88)

1	2	3

Indicador:

a) _____ Los espacios y materiales proporcionados anticipan las necesidades de comportamiento y de desarrollo de los niños

Notas Opcionales: GUÍA (Ítem 10.1 arriba)

Notas de Revisión	Notas de Observación

Área Funcional 11: FAMILIAS

Ítem 11.1 Se incluyen diversas oportunidades para apreciar y comunicarse con las familias de los niños como parte del programa regular. (pág. 94)

1	2	3

Indicators:

a) _____ El ambiente de exhibición y los materiales muestran respeto hacia las diversas comunidades, grupos culturales y familias

b) _____ Se fomentan oportunidades para comunicarse con las familias y distribuirles información

Notas Opcionales: FAMILIAS (Ítem 11.1 arriba)

Notas de Revisión	Notas de Observación

Ambientes de Trabajo y Actividades

Área Funcional 1: SEGURIDAD

Ítem 1.3 El Candidato garantiza la seguridad de los niños en todo momento. (pág. 43)

1	2	3

Indicadores:

a) _____ Se asegura de que los niños sean atendidos por adultos en todo momento

b) _____ Enseña a los niños prácticas de seguridad adecuadas

c) _____ Brinda una supervisión minuciosa y eficaz en todo momento

d) _____ Se asegura de que no se sirvan alimentos que puedan provocar riesgos de asfixia

Notas Opcionales: SEGURIDAD (Ítem 1.3 arriba)

Notas de Revisión	Notas de Observación

Área Funcional 2: SALUD

Ítem 2.2 El Candidato implementa prácticas de higiene adecuadas para minimizar la propagación de enfermedades infecciosas. (pág. 46)

1	2	3

Indicadores:

a) _____ Limpia y esteriliza los materiales y el equipo

b) _____ Utiliza procedimientos correctos para lavarse las manos antes y después de servir los alimentos, cambiar pañales/ir al baño y cuando sea necesario

c) _____ Implementa procedimientos sanitarios para cambiar pañales/ir al baño

Ítem 2.3 El Candidato motiva a los niños a practicar hábitos saludables. (pág. 47)

1	2	3

Indicadores:

a) _____ Se asegura de que los niños mayores se laven las manos de manera adecuada, brindando ayuda cuando sea necesario

b) _____ Modela, comunica y brinda actividades que enseñen la importancia de la buena salud a los niños y familias

Acciones e Interacciones

Ítem 2.4 El Candidato brinda experiencias adecuadas para la hora de los alimentos. (pág. 49)

1	2	3

Indicadores:

a) _____ Sirve alimentos y meriendas (snacks) nutritivos

b) _____ Facilita experiencias adecuadas para la hora de los alimentos

Notas Opcionales: SALUD (Ítems 2.3, 2.4, 2.5 arriba)

Notas de Revisión	Notas de Observación

Área Funcional 3: AMBIENTE DE APRENDIZAJE

Ítem 3.4 La disposición del Candidato es cariñosa y acogedora. (pág. 55)

1	2	3

Indicador:

a) _____ Cultiva una relación amorosa y propicia con cada niño

Item 3.5 El Candidato demuestra un buen juicio al implementar el Horario Semanal/Plan de Día que se encuentra a la vista. (pág. 56)

1	2	3

Indicadores:

a) _____ Sigue por lo general el horario y la planificación que se encuentra a la vista

b) _____ Varía el horario y la planificación según sea necesario

Ítem 3.6 Utilizar una variedad de estrategias durante la transición de los niños de una actividad a otra. (pág. 57)

1	2	3

Indicador:

a) _____ Muestra una comprensión sobre la importancia de las transiciones

Notas Opcionales: AMBIENTE DE APRENDIZAJE (Ítems 3.4, 3.5, 3.6 arriba)

Notas de Revisión	Notas de Observación

Acciones e Interacciones

Área Funcional 4: FÍSICO

Ítem 4.4 **La facilitación del Candidato fomenta el desarrollo físico de los niños.** (pág. 61)

1	2	3

Indicadores:

a) _____ Participa en actividades físicas con los niños, cuando es apropiado

b) _____ Guía el desarrollo de las habilidades de motricidad fina y gruesa de los niños

Notas Opcionales: FÍSICO (Ítem 4.4 arriba)

Notas de Revisión	Notas de Observación

Área Funcional 5: COGNOSCITIVO

Ítem 5.3 **Las interacciones del Candidato fomentan el pensamiento y la resolución de problemas de los niños.** (pág. 64)

1	2	3

Indicador:

a) _____ Facilita el pensamiento y las habilidades creativas de resolución de problemas de los niños

Ítem 5.4 **Las interacciones del Candidato se basan intencionalmente sobre el conocimiento previo de los niños.** (pág. 65)

1	2	3

Indicadores:

a) _____ Conecta conceptos con las experiencias previas de los niños

b) _____ Apoya la repetición de los niños de cosas o hechos familiares

Notas Opcionales: COGNOSCITIVO (Ítems 5.3, 5.4 arriba)

Notas de Revisión	Notas de Observación

Acciones e Interacciones

1 = Poca o ninguna evidencia   2 = Alguna evidencia   3 = Gran cantidad de evidencia

Área Funcional 6: COMUNICACIÓN

Ítem 6.3 El Candidato lee a los niños de un modo que es apropiado a su nivel de desarrollo. (pág. 69)

1	2	3

Indicador:

a) _____ Le lee a los niños de una manera dinámica y activa

Ítem 6.4 Las interacciones de los Candidatos promueven las habilidades de comunicación de los niños. (pág. 70)

1	2	3

Indicadores:

a) _____ Fomenta el desarrollo del lenguaje de los niños mediante su comunicación verbal y no-verbal

b) _____ Interactúa con los niños, escuchando y respondiendo de manera adecuada

c) _____ Apoya las necesidades de los niños aprendices de dos idiomas (cuando corresponda)

Ítem 6.5 El Candidato fomenta el desarrollo del vocabulario de los niños. (pág. 71)

1	2	3

Indicadores:

a) _____ Fomenta de manera intencional oportunidades para que los niños aprendan nuevas palabras

b) _____ Presenta de manera regular un vocabulario más avanzado para los niños

Notas Opcionales: COMUNICACIÓN (Ítems 6.3, 6.4, 6.5 arriba)

Notas de Revisión	Notas de Observación

Área Funcional 7: CREATIVIDAD

Ítem 7.4 El Candidato fomenta la expresión y la creatividad de manera individual. (pág. 75)

1	2	3

Indicadores:

a) _____ Fomenta la expresión creativa e individual en las actividades de los niños

b) _____ Facilita experiencias dirigidas a los niños y orientadas a la creatividad

Notas de Revisión	Notas de Observación

Área Funcional 8: CONCEPTO DE SÍ MISMO

Ítem 8.2 **Las interacciones del Candidato ayudan a que los niños desarrollen conceptos positivos de sí mismos.** (pág. 79)

1	2	3

Indicadores:

a) _____ Respeta la individualidad de cada niño

b) _____ Muestra sensibilidad y aceptación hacia los sentimientos y necesidades de cada niño

Ítem 8.3 **El Candidato motiva a los niños a desarrollar un sentido de independencia.** (pág. 81)

1	2	3

Indicadores:

a) _____ Fomenta las habilidades de autoayuda y autorregulación de los niños al respetar las preferencias y diferencias culturales de las familias

b) _____ Se asegura de que el ir al baño sea una experiencia positiva apropiada al nivel de desarrollo de los niñosn

c) _____ Fomenta un sentido de autonomía cada vez mayor para cada niño

Notas Opcionales: **CONCEPTO DE SÍ MISMO** (Ítems 8.2, 8.3, 8.4 arriba)

Notas de Revisión	Notas de Observación

Área Funcional 9: SOCIAL

1	2	3

Ítem 9.3 **El Candidato fomenta en los niños el sentido de pertenecer a la comunidad del salón de clases.** (pág. 84)

Indicadores:

a) _____ Fomenta las interacciones sociales de los niños

b) _____ Modela interacciones sociales adecuadas

Acciones e Interacciones

Ítem 9.4 **El Candidato ayuda a que los niños experimenten compasión/empatía y respeto hacia otros.** (p. 86)

1	2	3

Indicadores:

a) _____ Ayuda a los niños a comprender sus sentimientos y los sentimientos de los demás

b) _____ Habla sobre la diversidad de una manera cómoda al interactuar con los niños

Notas Opcionales: SOCIAL (Ítems 9.3, 9.4 arriba)

Notas de Revisión	Notas de Observación

Área Funcional 10: GUÍA

Ítem 10.2 **El Candidato implementa de manera proactiva métodos para prevenir problemas de conducta.** (pág. 88)

1	2	3

Indicadores:

a) _____ Reconoce conductas positivas

b) _____ Modela conductas adecuadas

c) _____ Ofrece límites y expectativas firmes y constantes

d) _____ Utiliza técnicas eficaces para dirigir el salón de clases

e) _____ Ayuda a los niños a articular sus emociones y a practicar cómo responder en situaciones desafiantes

Ítem 10.3 **El Candidato utiliza técnicas positivas al reaccionar ante las conductas desafiantes de los niños.** (pág. 91)

1	2	3

Indicadores:

a) _____ Enfatiza el desarrollo de autodisciplina y autorregulación

b) _____ Se encarga de una conducta desafiante de modo constante y calmado

c) _____ Utiliza técnicas adecuadas para guiar conductas negativas

Notas Opcionales: GUÍA (Ítems 10.2, 10.3 arriba)

Notas de Revisión	Notas de Observación

Acciones e Interacciones

Revisión

Nota para el Especialista CDA en Desarrollo Profesional™:

Los siguientes Ítems han sido organizados como Ítems de "Revisión" ya que no son totalmente observables en una Visita de Verificación CDA™ comúnmente programada. Por lo tanto, el Concilio le recomienda que usted primero base sus Puntuaciones Recomendadas en los Testimonios de Competencia Reflexivos y Recursos que se encuentran en el Portafolio Profesional del Candidato que usted leerá durante la Sesión Revisión.

Área Funcional 11: FAMILIAS

Ítem 11.2 **El Candidato aprecia el valor único de cada familia.**
(pág. 95)

1	2	3

Indicador:

a) _____ Acoge y respeta a cada familia

Ítem 11.3 **Candidate partners with families to support the needs of their children.** (p. 96)

1	2	3

Indicadores:

a) _____ Trabaja en conjunto con cada familia

b) _____ Mantiene una comunicación abierta con las familias

Ítem 11.4 **El Candidato ayuda a las familias a comprender y apoyar el crecimiento saludable y desarrollo de sus hijos.** (pág. 98)

1	2	3

Indicadores:

a) _____ Proporciona información y oportunidades para ayudar a las familias a satisfacer las necesidades de desarrollo de sus hijos

b) _____ Conoce el servicio social y los recursos de salud y educación de la comunidad, involucrándolos cuando sea necesario

c) _____ Recomienda actividades que las familias puedan realizar en casa con el fin de respaldar el desarrollo de sus hijos

Notas Opcionales: FAMILIAS (Ítems 11.2, 11.3, 11.4 arriba)

Notas de Revisión	Notas de Observación

Área Funcional 12: MANEJO DEL PROGRAMA

Ítem 12.1 El Candidato observa, documenta y evalúa el progreso de desarrollo /educativo de cada niño. (pág. 101)

1	2	3

Indicadores:

a) _____ Observa y registra de manera objetiva la información sobre la conducta y el aprendizaje de los niños

b) _____ Analiza y evalúa múltiples fuentes de evidencias con el fin de establecer metas apropiadas al nivel de desarrollo para cada niño/grupo, planificando el currículo de manera correspondiente

Ítem 12.2 El Candidato sigue y respeta los requisitos reglamentarios y políticas del programa. (pág. 102)

1	2	3

Indicadores:

a) _____ Sigue y respeta los reglamentos locales y políticas actuales del programa con respecto al cuidado y educación infantil

b) _____ Sigue y respeta los requisitos profesionales de Informes Obligatorios relacionados al abuso y negligencia infantil

c) _____ Conserva registros actualizados sobre la salud, seguridad y conducta de los niños

Ítem 12.3 El Candidato conserva relaciones profesionales eficaces. (pág. 103)

1	2	3

Indicador:

a) _____ Establece relaciones interpersonales de colaboración con los compañeros de trabajo, colegas, voluntarios y supervisores

Nota: Usted podrá encontrar alguna evidencia necesaria para este Ítem durante la Sesión de Observación, si se observa al Candidato trabajando con otro maestro o colega.

Notas Opcionales: MANEJO DE PROGRAMA (Ítems 12.1, 12.2, 12.3 arriba)

Notas de Revisión	Notas de Observación

Área Funcional 13: PROFESIONALISMO

Ítem 13.1 El Candidato se compromete a cumplir altas normas de prácticas profesionales. (pág. 104)

1	2	3

Indicadores:

a) _____ Protege la confidencialidad de la información de los niños, sus familias y del programa de cuidado y educación infantil

b) _____ Se conduce de un modo profesional en todo momento

Ítem 13.2 El Candidato trabaja con otros profesionales y familias para comunicar las necesidades de los niños y de las familias a las personas que toman las decisiones. (pág. 105)

1	2	3

Indicador:

a) _____ Defiende las necesidades de los niños y de sus familias

Ítem 13.3 El Candidato aprovecha las oportunidades de continuar su desarrollo profesional. (pág. 105)

1	2	3

Indicadores:

a) _____ Aprende sobre nuevas leyes y reglamentos que afectan el cuidado y la educación infantil, a los niños y a sus familias

b) _____ Aprovecha las oportunidades de desarrollo profesional y personal al reflexionar, unirse a organizaciones profesionales y al asistir a reuniones, cursos de capacitación y conferencias

(CONTINUE A LA PÁGINA SIGUIENTE)

Revisión

Nota para el Especialista CDA en Desarrollo Profesional™:

Una señal clara que muestra el profesionalismo del Candidato es la culminación de su Portafolio Profesional como requisito del proceso de certificación. Por lo tanto, el siguiente Ítem también debe recibir una Puntuación Recomendada:

Ítem 13.4 El Candidato ha completado todos los requisitos del Portafolio Profesional CDA al prepararse para esta Visita de Verificación CDA™. (págs. 12-19)

1	✕	3

3 = Se cumplieron todos los requisitos del Portafolio

1 = No se cumplieron uno o más requisitos del Portafolio

(si es 1, el CDA Especialista en DP™ debe agregar una breve nota explicando la razón y/o ejemplos para esa puntuación)

Indicadores:

a) _____ La mayoría de los Cuestionarios para la Familia distribuidos fueron recopilados

b) _____ Se escribieron Seis Testimonios de Normas de Competencia

c) _____ El Portafolio incluye todos los ítems necesarios de la Recopilación de Recursos

d) _____ Se escribió un Testimonio de Filosofía Profesional

Notas Opcionales: PROFESIONALISMO (Ítems 13.1, 13.2, 13.3, 13.4 arriba)

Notas de Revisión	Notas de Observación

Componentes necesarios para el Portafolio

Si alguno de los siguientes componentes necesarios para el Portafolio no cumple con los requisitos, usted debe decirle al Candidato que al final de la Visita de Verificación CDA™ él o ella recibirá una tarjeta del Concilio comunicándole sobre los procedimientos requeridos para corregir estos errores dentro de los seis meses de su notificación o aviso "Listos para Programar el Examen".

En los espacios ubicados abajo, escriba la razón o razones por la(s) que los componentes no cumplen con los requisitos. Luego, usted presentará esta información al Concilio en línea, junto con sus Puntuaciones Recomendadas.

1. Las 120 horas de Educación Profesional del Candidato cumplen todos los requisitos (págs. 10-11):

☐ Sí   ☐ No

If "No," please explain: _____

_____

_____

2. La Certificación de Primeros Auxilios/CPR del Candidato cumple todos (pág. 14):

☐ Sí   ☐ No

Si es "No," por favor explique: _____

_____

_____

Para el Especialista CDA en DP™:

Mis Recordatorios para Prepararme para el Diálogo Reflexivo

Aclaraciones (complete esta sección después de las sesiones Revisión y Observacións)

Luego de revisar el portafolio del Candidato y observarlo(a) trabajando con niños, puede que aún necesite hacer algunas preguntas al Candidato para aclarar los siguientes temas que yo no pude leer u observar:

_____

_____

_____

_____

Testimonio de Filosofía Profesional (complete esta sección durante la sesión Revisión)

Luego de leer el Testimonio de Filosofía Profesional del Candidato, aquí hay uno o más temas claves sobre cómo él o ella pone su filosofía profesional en práctica que yo quisiera retomar para facilitar el diálogo reflexivo:

_____

_____

_____

Comentarios del Especialista CDA en Desarrollo Profesional™ (complete esta sección después de las sesiones Revisión y Observación)

Luego de leer el Portafolio Profesional del Candidato y observarlo(a) trabajando con niños, mencionaré la siguiente Área de Fortaleza y la siguiente Área de Desarrollo Profesional durante el diálogo reflexivo:

Un Área de Fortaleza

_____

_____

Un Área de Desarrollo Profesional

_____

_____

Notas:

Notas: